D0335280

OM TE ZOENEN!

Om te zoenen!

Van Holkema & Warendorf

Derde druk 2005
ISBN 90 269 9854 6
NUR 283

© 2004 Uitgeverij Van Holkema & Warendorf,
Unieboek BV, Postbus 97, 3990 DB Houten
www.unieboek.nl

Omslagillustraties: Stefanie Kampman, Schiedam
Vormgeving omslag: Ontwerpstudio Johan Bosgra BNO, Baarn
Zetwerk: ZetSpiegel, Best

Inhoud

Zoenmysterie

Mirjam Oldenhave

'Nora, zo ga je toch niet naar een feest!' riep Jackie. 'Straks denken ze nog dat je de verwarming komt repareren.'
Voor de zoveelste keer bekeek Nora zichzelf in de spiegel. Spijkerbroek, T-shirt, bergschoenen... erg sexy was het niet, nee. 'Maar dit zit zo lekker,' zei ze.
Jackie zuchtte vermoeid. 'Alsof het daarom gaat! Sanne, zeg jij er nou eens wat van.'
Met haar hoofd scheef en haar ogen halfdicht keek Sanne naar Nora. 'Doe dan iets bijzonders met je haar,' suggereerde ze.
'Ik dacht dat ik dat al gedaan had,' mompelde Nora.
Ze waren met zijn drieën op Jackies kamer omdat zij de meeste kleren, de meeste make-up en de meeste sieraden had. En dat was belangrijk, want ze hadden vanavond een klassenfeest op school.
'Ik vlecht je haar wel in.' Rinkelend en tinkelend stond Jackie op. Ze moest wel tien kilo zwaarder zijn door alles waarmee ze zich volgehangen had.
'O dennenboom, o dennenboom!' zong Sanne.
'Hoezo, is het te veel?' vroeg Jackie onzeker.
'Die ketting is te groot,' zei Nora.
Sanne knikte. 'Meer iets voor vrouwen die hun oude nek willen camoufleren.'

7

Geschrokken schroefde Jackie de ketting los. 'Maar hier heb ik juist alles bij uitgekozen! Ik word gek. Ik ga niet, hoor!'

Al met al waren ze er iets over tienen. De feestcommissie had goed werk verricht: als je niet beter wist, dacht je echt dat het een discotheek was in plaats van gewoon de kelder van school.
Nora was uiteindelijk gezwicht voor de hogehakkenlaarzen van Jackie. Wat een vergissing! Ze had nu al pijn aan haar voeten. Dat werd lekker dansen zo meteen. Nou ja, dan maar een verwarmingsmonteur op sokken. Ze liep direct door naar de bank.
'Wat zit je haar leuk.' Jim kwam naast haar zitten.
'Heeft Jackie gedaan. Dat van jou zit trouwens ook leuk,' zei ze, meer om iets terug te zeggen, want Jim had altijd hetzelfde haar: kort van achteren, iets langer van boven en dan gel erin. Trouwens, alle jongens van de klas hadden hun haar zo.
Jim en Nora waren vrienden, al sinds de kleuterschool. Nora was nooit verliefd op hem geweest, ze zag hem meer als een broer, of bijvoorbeeld als de vriend van haar beste vriendin.
'Wil je wat drinken?' vroeg hij.
'Graag, doe maar cola.'
'Met?'
Nora knikte. Als Sam achter de bar stond, kon je illegaal colatic krijgen. Dan bukte hij even met je glas en gooide er snel een scheut wodka bij. Alles werd wel zorgvuldig genoteerd, maandagochtend afrekenen, twee euro per tic!
Toen Jim weg was, keek Nora om zich heen. Zo te zien was iedereen er, behalve Boris. Die vond het zeker interessant staan om laat te komen. Jackie was al aan het dansen, er hobbelden minstens drie jongens om haar heen. En Sanne, waar was zij?
Pok! Ineens was het pikdonker, de muziek hield op en het was één seconde doodstil. Toen reageerde iedereen, er werd gela-

8

chen en geroepen. Iemand zong het nummer door dat net speelde. Een paar meisjes begonnen aanstellerig te gillen.

Arends, de leerkracht die toezicht hield, riep: 'De stoppenkast, wie weet waar de stoppenkast zit?'

Het leek wel of er nu meer lawaai was dan daarvóór met die keiharde muziek. Tot Nora's verrassing werd er ineens een ijskoud glas in haar hand gedrukt. Jim was terug!

Ze voelde dat hij weer naast haar ging zitten. 'Ik ben niet wie jij denkt,' fluisterde hij met een vreemde stem.

Nora moest lachen. 'Hoe kon je me in het donker vinden?' vroeg ze.

Weer zette hij die rare fluisterstem op: 'Als ik mijn hart volg, kom ik automatisch bij jou uit.'

Pardon?

'Sam, hebben we reservestoppen?' riep Arends.

Heb ik nou net een liefdesverklaring gehad, of vergis ik me, dacht Nora.

Een groepje meiden was nu keihard aan het zingen, een of ander dom carnavalslied.

'Eh, Jim, het is niet dat ik...' begon Nora.

Toen voelde ze zijn mond. Hij zoende haar niet, maar raakte alleen haar lippen aan, héél zacht. Nora rilde.

Jim bewoog zijn mond iets omhoog, zodat haar bovenlip tussen zijn lippen paste.

Nora sloot haar ogen, donker bleef natuurlijk donker. Kom maar op, zandbakvriendje, dacht ze verrast.

Toen beet hij zacht in haar bovenlip, drie keer achter elkaar. Daarna zoog hij er even op, als om het goed te maken. Nora hoorde zichzelf kreunen. Om de één of andere reden leek het vanzelfsprekend dat zij niets deed.

Jim zoende snel, zacht, traag, ruw, stevig, voorzichtig... Wat hij ook deed, alles was vreselijk opwindend. Nora gleed weg in een magische draaikolk. Vaag realiseerde ze zich dat ze alleen

9

zijn mond voelde, hij had net zo goed zijn handen op zijn rug kunnen hebben. Ze streelde over zijn haar en pakte zijn hand... Ineens was het over. Hij nam haar gezicht in zijn handen en gaf nog één zoen op haar mond. 'Zo terug,' fluisterde hij. En weg was hij.

Nora liet zich achterover in de bank vallen. Ze stond totaal, van top tot teen onder stroom. Haar adem ging zo snel dat het leek alsof ze een half uur gerend had.

'Jim,' fluisterde ze.

Dat zoiets ook met hém zou kunnen, daar was ze nou echt nooit, nooit opgekomen.

Ineens ging het licht weer aan. Oei, Nora schrok, ze had vast en zeker een rooie kop. Vrijwel meteen kwam Jim er weer aan, met twee nieuwe glazen cola.

Ze was ineens verlegen. Hij deed alsof er niets gebeurd was.

'Iemand had het expres gedaan, ze hadden gewoon de hoofdschakelaar uitgedraaid,' vertelde hij. 'Ik dacht, ik blijf maar even bij de bar wachten, want als ik in het donker ga lopen, gooi ik die cola over iemand heen. Proost!'

Jackie bleef gewoon doordansen, terwijl Nora haar naar zich toe trok.

'Je moet me helpen,' zei Nora.

Jackie bestudeerde Nora's haar. 'Is het uitgezakt?'

'Ik ben gezoend en ik weet niet door wie!' riep Nora in Jackies oor.

Jackie stopte eindelijk met dansen. Ze staarde even voor zich uit en riep toen: 'Wat zeg je?'

'Je hebt me goed verstaan! Kom mee!' Nora trok haar mee naar de gang. In het voorbijgaan tikte ze Sanne op haar rug. 'Er is iets ergs!' riep ze.

Sanne stond met Jonathan te kletsen. Ze was op hem, maar toch kwam ze meteen mee.

10

Op de gang kon je elkaar tenminste verstaan.

'Ik ben gezoend in het donker. Het was fantastisch, verrukkelijk en goddelijk,' zei Nora.

'Je bént gezoend?' vroeg Sanne.

'Ik heb zelf niets gedaan, alleen maar... gesidderd.'

De deur ging open. 'Hé Jackie, kom je nog?' vroeg Rob.

'Eén minuutje.' Jackie wachtte tot Rob weg was.

'Gesidderd?' vroeg Sanne.

Nora keek peinzend naar de deur. 'Jackie, was Rob bij jou toen het licht uitviel?'

'Nou en of!' zei Jackie veelbetekenend.

In gedachten zette Nora een kruis door Robs naam. Jim niet, Rob niet, dat zijn er alvast twee, dacht ze.

'En Jonathan?' vroeg ze.

'Nora,' zei Sanne streng. 'Wat Is Er Aan De Hand?'

Nora haalde diep adem. Zo rustig mogelijk, met alle details en bijzonderheden, vertelde ze wat er gebeurd was.

'Dat wil ik ook!' riep Jackie. Ze ging met haar tong langs haar lippen.

Sanne keek geboeid naar Nora, alsof die nog steeds aan het vertellen was. 'En je weet dus niet wie het was?'

'Nee, ik ging er helemaal van uit dat het Jim was.'

'Maar hij zei toch: Ik ben niet wie jij denkt?' vroeg Sanne.

'Ja, ik dacht dat hij een geintje maakte!' antwoordde Nora.

'Wat romantisch!' riep Jackie verlekkerd. 'Misschien kom je er nooit achter, en dan zul je je hele leven achtervolgd worden door deze geheimzinnige zoen. Omdat het nooit meer zo fijn wordt.'

'Hè ja!' riep Nora nijdig.

'We moeten op onderzoek uit,' zei Sanne. 'De dader bevindt zich in ons midden.'

'Baantjer!' riep Jackie. Met toegeknepen ogen keek ze naar Nora's mond. 'Misschien zitten er sporen.'

11

Sanne pakte een piepklein adressenboekje uit haar piepkleine tasje. 'Oké, wie zijn de verdachten?'

'Alle jongens,' zei Nora.

'Waarom geen meisje?' vroeg Jackie. 'O ja, kort haar met gel.' Sanne schreef de namen op van alle jongens die er waren. 'Negen,' zei ze. 'Dit is echt een detectiveverhaal!'

'Je vergeet Boris,' zei Jackie. 'Die kwam aan toen het licht uitviel.'

Nora knikte. 'Tien.'

Ineens gaf Jackie een gil van afschuw. 'Arends!'

'Die stond bij de stoppenkast,' zei Nora opgelucht. 'En hij heeft geen gel in zijn haar.'

Jackie vertrok haar gezicht. 'Kan toch een truc van hem zijn. Bèh, Arends!'

Sanne keek vragend naar Nora. 'Elf?'

'Nee,' zei Nora. 'Ik hoorde hem roepen tijdens de zoen.'

Ze gingen met zijn drieën op de bank zitten. Sanne bekeek de verdachtenlijst. 'Jim kan weg, die stond bij de bar. Rob stond met jou te...'

'Praten,' vulde Jackie aan.

'Valse getuigenissen zijn strafbaar,' zei Nora.

'Goed, te friemelen dan,' zei Jackie braaf. 'En Jonathan?'

'Die valt ook af, want hij zat op de wc.' Sanne zette een streep op haar blaadje.

'Ho, ho! Dat zéí hij!' riep Jackie.

Sanne dacht na. 'Hoe rook hij?' vroeg ze toen aan Nora.

Nora deed haar ogen dicht. Hoe hij rook? Lekker! Heerlijk! Nee, gewoon eigenlijk, naar jongen.

'Gewoon,' zei ze.

'Jonathan had ietsje te veel goedkope aftershave op, namelijk,' zei Sanne verlegen.

Jackie schoot in de lach. 'Kruidvat Robuuste Mannen!'

12

'Hou je kop.' Sanne zette een streep. 'Zeven kandidaten. Jackie, ga jij al jouw slachtoffers eens na, volgens mij kunnen we op die manier de hele lijst afwerken.'

'Hé, hé, hé!' zei Jackie zogenaamd beledigd. Ze keek naar het briefje. 'Juanito snuift,' zei ze toen.

'Ja, omdat hij verkouden was toen jij met hem zoende,' zei Sanne.

Jackie schudde haar hoofd. 'Ik heb op verschillende momenten... eh, steekproeven genomen.'

Nora moest lachen. 'Streep maar door,' zei ze.

'Mehmed houdt je kin vast en draait dan je hoofd in de gewenste stand,' ging Jackie zakelijk verder.

'Weg?' vroeg Sanne aan Nora.

'Weg!'

'Bij Boris lijkt het alsof er een dikke, vette slak in je mond ligt.'

'Gadver!' schreeuwde Nora.

'Ja, eerlijk. Hij legt hem gewoon neer en dan beweegt hij hem een beetje. Heel benauwd!'

'Doorstrepen!' beval Nora.

'En dan heb ik nog Tijmen. Die zuigt je vacuüm.' Jackie was lekker op dreef. 'Zijn mond lijkt net zo'n gootsteenontstopper. Die legt hij over jouw mond en dan... sjlap, trekt hij alle lucht eruit. Je kunt geen kant meer op.'

'Weg ermee,' zei Nora vol afschuw.

Sanne zette een streep door Tijmen.

'Dat waren ze,' zei Jackie. 'Althans, in deze klas.'

Zuchtend keek Nora om zich heen. Nog drie, wie waren er nog over? Sam, Halpach en Steven. Brrr, ze kreeg eerlijk gezegd de rillingen bij het idee.

'Sam, Halpach en Steven,' mompelde Sanne.

'Sophie!' Jackie stond op. 'Die heeft het met Halpach gedaan. Ik haal haar even.'

Nora en Sanne keken rond. 'Zie jij Steven ergens?' vroeg Nora.
'Misschien zit hij wel na te genieten op de wc,' zei Sanne grijn-
zend.
Nora keek nog eens goed rond. Nee, Steven was er echt niet.
'Ik weet het!' riep Sanne ineens. 'Kijk eens om je heen! Wat is
het verschil met het vorige feest?'
Nora haalde haar schouders op.
'We mogen niet meer binnen roken,' zei Sanne tevreden. 'Daar-
om staat Steven buiten te paffen. Nora, heb je het gevoel dat
je je tong in een asbak hebt gestoken?'
'Nee,' zei Nora beslist. 'Streep hem maar weg.'
Daar was Jackie weer, met Sophie. Die ging met glimmende
ogen op het tafeltje voor hen zitten. Het was duidelijk dat Jac-
kie haar alles al verteld had.
'Stond je of zat je?' vroeg ze zakelijk.
'Ik zat,' antwoordde Nora. 'Hier, precies op deze plek.'
'Jammer,' zei Sophie peinzend. 'Halpach trilt namelijk heel erg
als hij staat. Net een fitnessapparaat. Zweette hij, ik bedoel,
had hij kleffe handen?'
'Weet ik niet, hij deed het met losse handen,' zei Nora met
tegenzin. Ze had helemaal geen zin om in details te treden
over de zoen van haar leven.
O nee, wacht! Op het laatst had ze zijn handen gevoeld.
Ze sloot even haar ogen... droge, koele handen.
'Streep maar weg,' zei ze toen.
'Sam, dus,' zei Jackie.
Nora rilde. Sam, dat was nou niet wat je noemt een droom-
prins.
Ze keken naar de dansvloer waar Sam stond. Als je heel goed
keek zag je pas dat hij aan het dansen was, zo minimaal be-
woog hij.
'Wacht even, zijn beugel!' zei Sophie. 'Die voel je heus wel,
hoor.'

14

Nora dacht na. Had ze zijn tanden gevoeld?
'Zei hij "schatje" of iets dergelijks?' vroeg Jackie. 'Sam slist namelijk.'
Sophie knikte. 'Fchatje.'
'Nee, maar hij zei wel "automatisch", zonder slissen.' Nora keek naar Sanne. 'Streep maar weg,' zei ze opgelucht.
Even waren ze alle vier stil.
'Nou, ik ga weer dansen,' zei Sophie toen.
Jackie knikte. 'Misschien komen we er nog achter. En anders moet je het maar als een geheim cadeautje beschouwen.'

Even later zat Nora weer alleen op de bank. Wie, wíe was het geweest?! Ze werd er wanhopig van. Wat als ze er nooit achter kwam?
'Wat zit je te sippen!' Jim kwam weer bij haar zitten.
Zal ik het vertellen? dacht Nora. Nee, zoiets deel je niet met een jongen. Maar Jim was toch geen echte jongen. Of ja, wel echt, natuurlijk, maar niet gewóón...
Zonder hem aan te kijken vertelde ze wat er gebeurd was.
Toen ze klaar was, keek Jim haar totaal verbijsterd aan.
Hij snapt het niet, dacht Nora. Ik had het niet moeten vertellen.
'Ik meende het, wat ik net zei,' zei Jim zacht.
'Dat ik zit te sippen?' vroeg Nora.
Jim schudde zijn hoofd. 'Dat ik automatisch bij jou uitkom als ik mijn hart volg.' Hij boog zich voorover en legde zijn lippen tegen de hare...

Ongeveer een kwartier later deed Nora haar ogen weer open.
'Jim,' zei ze zacht. 'Waarom... waarom heb je zo lang gewacht en waarom liep je net weg?'
Jim bloosde. 'Je bent mij altijd als je kleuterschoolvriendje blijven zien. Toen het licht uitviel dacht ik: Nu! Als ze niet weet

15

wie ik ben, heb ik misschien een kans.' Hij lachte verlegen. 'Maar toen je over mijn haar streelde was ik bang dat je het zou ontdekken. Ik dacht, ze geeft me zo een pets in mijn smoel.'

'Daar kon je nog wel eens gelijk in hebben,' zei Nora glimlachend. Ze pakte Jims hand en hield die met twee handen vast. Mijn zandbakvriendje, dacht ze verbaasd. Mijn zandbakprins...

Hemels

Reina ten Bruggenkate

Eigenlijk was ze al voor hem gevallen op het allereerste moment dat ze hem zag.
Zoals hij daar stond... met dat lange haar tot in zijn ogen, zo in zichzelf gekeerd, zo totaal anders dan de andere jongens van het vakantiekamp. Dat waren van die macho jongens met van die grote monden. Van die aandachttrekkers.
Hij niet. Met zijn rug tegen het raam geleund, handen in de zakken, een dromerige blik in de ogen, leek hij nauwelijks geïnteresseerd in zijn omgeving.
Naomi hield haar adem in toen ze hem zag.
Achter haar vriendin Fenna aan liep ze door de enorme eetzaal van het kamphuis. Ze werden meteen geschat en gewogen door de andere kinderen. Tenminste, zo voelde het, vond Naomi. De uitslag wist ze al. Alle aandacht zou naar Fenna gaan. Zo ging het altijd.
Fenna herkende een paar meisjes van het vorige jaar. Ze zei ze tenminste uitbundig gedag en zwaaide ook naar een paar jongens. Ze was meteen in topvorm en kreeg die opgewonden blos op haar wangen die Naomi zo goed van haar kende als haar vriendin zich bekeken wist. Zelfverzekerd liep ze naar de open haard en ging daar op de rand zitten. Zodra Naomi naast haar zat, begon Fenna opgewonden te fluisteren. 'Zag je die jongen daar bij de pingpongtafel? Die

17

was er vorig jaar ook. Wat een lekker ding is dat geworden!' Naomi keek naar de jongen die haar vriendin bedoelde en trok bijna automatisch haar wenkbrauwen op. Tot die dag was er niet één jongen geweest die zijzelf interessant vond. In haar ogen waren er maar twee soorten jongens: de schreeuwers en de baby's. Alleen die jongen bij het raam was geen van beide. Een jongen zoals hij, had ze nog nooit gezien. Hij viel in elk geval niet onder het type 'stoere jongens'. Vandaar natuurlijk dat Fenna hem niet opmerkte. Ze was hem straal voorbijgelopen. Geheimzinnig was een woord dat beter bij hem paste. Naomi kon haar ogen niet van hem afhouden. Maar omdat de zon vanachter zijn rug naar binnen piekte, kon ze zijn gezicht niet zien. Zijn gestalte wel. Door de zon leek het net of er een licht-krans om hem heen geweven was.

Het lekkere ding bleek Carl te heten. Toen de kampleider bij de introductie zijn naam opnoemde, stak hij als een strijder zijn vuist in de lucht en zei: 'Yo.'
Daar was Fenna behoorlijk van onder de indruk.
Naomi voelde hoe ze bloosde toen háár naam werd genoemd. Ze hoopte dat die mysterieuze jongen naar haar keek. Pas he-lemaal aan het eind van de opsomming wist ze zíjn naam. Je-remy heette hij. En hij stond erbij alsof hij met grote tegenzin aan de kampweek begon. Dat maakte haar extra nieuwsgierig.

Binnen de kortste keren zat Fenna bij de pingpongtafel. Ze had zichzelf een doel gesteld. In deze kampweek zou ze lekker-ding-Carl tot haar vriendje maken. Dat ging haar vast lukken. Zij en haar vriendinnen van vorig jaar lachten om alles wat de jongens zeiden.
De enige jongen die niet meedeed, was Jeremy. Hij kwam zelfs niet in de buurt van de herriemakers. Het enige wat hij deed, was af en toe telefoneren.

Diezelfde middag nog hield Carl Fenna's hand al vast om haar voor te doen hoe ze het balletje over de tafel moest slaan. Fenna had de grootste lol. Ze scheen compleet vergeten te zijn dat ze haar vriendin had gesmeekt om mee te gaan. Naomi voelde zich volkomen overbodig.

Toen ze Fenna volgde naar de wc, deed haar vriendin zelfs een beetje geïrriteerd. 'Wat is er nou? Je moet natuurlijk niet de hele tijd achter me aan lopen, hoor,' zei ze.

'Maar je hoeft toch niet de hele tijd met die jongens...' probeerde Naomi nog.

Fenna vatte het helemaal verkeerd op.

'Ja, hallo hé,' reageerde ze fel. 'Het is hier geen peuterspeelzaal. Kan ik het helpen dat jij nooit een jongen leuk vindt?' En weg was Fenna weer.

's Avonds laat luisterde Naomi jaloers naar de verhalen van de andere meisjes. Over de verkeringen van vorig jaar en hoe dramatisch het was als iemand het uitmaakte. Zij was de enige die niets spannends wist te vertellen.

Jeremy zag haar niet eens staan. Nou, dat was niet echt iets om over op te scheppen, vond ze. En dus hield ze zich slapend. Wel vond ze het vreemd dat geen van de andere meisjes ook maar enige belangstelling voor Jeremy toonde. Had nou niemand in de gaten hoe leuk hij was?

Ze lag onder op het ijzeren stapelbed en zag niet veel meer dan de blote benen van de meisjes die bij Fenna op het bed klommen.

'Laat Naomi maar slapen,' hoorde ze Fenna zeggen. 'Die vindt jongens stom.'

Toen ze rechtop ging zitten om het gefluister beter te kunnen verstaan, kwam ze met haar haren vast te zitten tussen de spiralen van het bovenste bed. Naomi probeerde ze los te trekken zonder een geluid te maken. Dat was de eerste dag.

19

De volgende dag, na een lange fietstocht, liet Fenna zich in het zwembad zogenaamd protesterend onder water duwen door Carl en zijn vrienden. Maar leuk dat ze het vond! Op de terugweg zat ze al bij hem achter op de fiets. Hoe kreeg ze dat toch altijd voor elkaar? dacht Naomi.

Zij durfde bijna geen adem te halen als ze in de buurt van Jeremy was.

Maar Fenna mocht niets merken van haar zwak voor de jongen met het blonde haar. Haar vriendin zou vast iets dodelijks zeggen, zoiets als: 'Naomi valt op watjes.'

Intussen keek ze stiekem naar de jongen met de hemelsblauwe ogen.

Jeremy zat schijnbaar diep in gedachten, met zijn benen languit op de stoel tegenover hem, en had geen idee dat ze hem leuk vond.

Leuk? Kéíleuk vond ze hem! Die dromerige blik, die soepele bewegingen als hij liep. Zwevend bijna. Waarom zag hij haar niet? Was ze onzichtbaar of zo?

Misschien moest ze maar iets uitlokken. Struikelen en dan plat op haar gezicht vallen. Naomi schoot in de lach toen ze zich zo'n situatie voorstelde. Waarschijnlijk zou Jeremy met zijn dromerige ogen doodleuk over haar heen stappen.

Carl had iets nieuws bedacht. Volleyballen op het terrein achter het kamphuis! Er stonden al palen en hij wist de kampleiding ertoe te bewegen om het net op te hangen.

'Wie wil er bij mij in het team?' schreeuwde Carl.

Fenna wist niet hoe snel ze het veld in moest rennen. Fenna, die nooit van sport hield!

Het volleyballen zelf stelde niet veel voor, vond Naomi. Carl sloeg de bal steeds loeihard uit. En als de bal in de bosjes verdween, moest Fenna hem nog helpen zoeken ook.

Fenna giechelde om alles en hing bijna constant om Carls nek.

Naomi haalde haar schouders op. Ze had zich zo'n kampweek heel anders voorgesteld.

'Dag Fenna,' mompelde ze en ze draaide zich boos om. 'Lekkere vriendin ben je.'

Aan het einde van de tweede dag wenste Naomi vurig dat ze zich nooit had laten overhalen door haar vriendin. Nee, dit kamp was niets voor haar. Ze voelde zich diep ongelukkig en huilde zichzelf in slaap, ondanks het opgewonden gefluister van de andere meisjes.

Het zomerkamp ging verdacht veel lijken op een volleybalkamp. Het groepje van Fenna was niet van het veld weg te slaan. De meisjes beoordeelden iedere speler. Ze gaven alle jongens een cijfer. De een was te fanatiek, de ander niet doortastend genoeg.

'Carl is heel soepel, maar wel een beetje woest,' vond Fenna. 'Ik kan hem nooit blokken.'

Dat was kennelijk een heel leuke opmerking, want de meisjes stikten van de lach.

Lekker interessant, dacht Naomi. Duizend keer liever zou ze met Jeremy naar de muziek op zijn discman luisteren. Aan de uitdrukking op zijn gezicht te zien moest dat fantastische muziek zijn. Hij zat aan de rand van het volleybalveld en keek toe, net als zij.

'Weet je wat het probleem met jou is?' zei Fenna toen ze zich op een morgen stonden te wassen. 'Jij doet niet mee. Je wilt toch ook een leuke week hebben? Dan moet je niet zo stijf zitten doen.'

'Vraag maar of ze met mij wil volleyballen,' zei Carl. 'Misschien kan ze van mij nog wat leren.' Hij stak plagend zijn tong uit naar Fenna. 'Laat me maar even met haar alleen. Wedden dat ze dan wel wil meespelen?'

21

'Alsof jij zo geweldig bent,' bitste Naomi.

'Haha, daarom oefen ik zoveel als ik kan,' antwoordde Carl.

Fenna kwam niet meer bij van het lachen.

Uit de manier waarop ze naar haar keken, begreep Naomi dat ze haar zwaar in de maling namen. Ze kon Fenna wel dood-knijpen.

Naomi ging op een van de schommels zitten. Bijna automa-tisch begon ze zacht heen en weer te bewegen, haar blik ge-richt op haar voeten.

Er kwam een wee gevoel in haar maag. Misschien moest ze naar huis bellen.

Dan zou ze zeggen dat ze ziek was. Dat ze haar moesten ko-men halen.

'Saai, hè?'

Naomi werd opgeschrikt uit haar sombere gepeins.

De stem behoorde toe aan Jeremy.

Naomi plantte haar voeten in de zachte grond van het speel-terrein en de schommel kwam met een schok tot stilstand.

'Ja,' zei ze en ze keek in zijn vijverblauwe ogen, 'hartstikke saai.' Intussen bonkte haar hart zo heftig dat ze bang was dat hij dat door haar T-shirt heen zou zien.

'Waar is je vriendin?' vroeg hij.

Naomi maakte een gebaar met haar hoofd. 'Bij het volleyballen.'

'Je bent hier voor het eerst, hè?' Jeremy wachtte niet op haar antwoord. 'Ik ook. Zullen we samen weglopen?'

O ja! Ja, laten we dat doen! schreeuwde ze inwendig. Ze keek hem nieuwsgierig aan. 'Meen je dat?'

Jeremy trok een ongelukkig gezicht. 'Vind jíj het leuk hier?'

'Nee.' Het was eruit voor ze het wist. 'Dat stomme volleybal. Het lijkt wel of er niets anders bestaat.'

Jeremy glimlachte. 'Het is een soort genootschap. Een clubje,' verduidelijkte hij.

Raar was dat, dacht Naomi. Eerst leek hij zo onbereikbaar en ineens stond hij met haar te praten alsof ze elkaar al jaren kenden.

'Als je bij een groepje hoort, ben je tenminste niet alleen,' zei ze.

'Je wilt er best bijhoren, hè?' vroeg Jeremy. Hij beet even op zijn lip en dacht na.

Hij had ongelofelijk mooie tanden, vond Naomi. Zo wit als de wolken in de lucht.

'Maar eigenlijk vind je die lui aanstellers, hè?'

Naomi schoot in de lach. 'Hoe weet je dat?'

'Dat zie ik aan je gezicht. Je gezicht laat precies zien wat je denkt. Soms heb je binnenpretjes. Dat ziet er heel grappig uit.'

Naomi voelde dat ze bloosde. Hij had dus wél op haar gelet!

'Je hebt zelf ook niet één keer meegedaan,' zei ze.

Jeremy lachte kort. 'Klopt. Omdat ik er net zo over denk als jij. Ik had zelfs geen idee wat ik hier in dit kamp deed. Totdat ik jou ineens zag.'

Hij maakte een gebaar met zijn hoofd. 'Ik wil wel meedoen, maar alleen met jou.' Hij stak zijn hand naar haar uit en hielp haar van de schommel.

De aanraking van zijn hand veroorzaakte een vreemd gevoel. Het leek wel of er rechtstreeks vanuit zijn hand warmte naar haar stroomde. Binnenin haar begon iets te gloeien.

Even later stonden ze samen op het volleybalveld.

Fenna en haar vriendinnen waren nog even giechelig. En spierballen-Carl en zijn vrienden deden alles om indruk te maken op de meisjes.

Maar nu kon dat hele gedoe van de anderen Naomi niets meer schelen. Het ongelofelijke was gebeurd. Hij had haar ineens opgemerkt. Juist op het moment dat ze het allemaal niet meer zag zitten. Het was gewoon een wonder. Een geschenk uit de

23

hemel. Ja, het was écht een wonder. Dat hij haar hand had vastgehouden...

Na het avondeten trok hij haar mee de avondstilte in. 'Zullen we volleyballen?' vroeg hij.
'Volleyballen?' herhaalde ze. 'Nu? Het is al veel te donker.'
Jeremy lachte geheimzinnig en nam haar mee in de richting van het veld.
'Ik vind je lief,' zei hij toen ze achter het kamphuis stonden.
'Ogen dicht. Je bent toch niet bang, hè?'
Ze sloot haar ogen en schudde van nee.
Op datzelfde moment voelde ze zijn mond op haar lippen.
Het was heel zacht en het duurde maar heel even.
Daar was het weer. Dat gevoel van elektriciteit. Een golf van geluk stroomde door haar heen.
'Mag het?' vroeg Jeremy. 'Mag ik je een zoen geven?'
Ze knikte ademloos.
Opnieuw boog hij zich voorover en hij legde zijn handen als de bladeren van een bloem om haar gezicht.
De hele wereld verdween.
Ze voelde de kus op haar mond, alsof ze in een warm, vers broodje hapte. Een broodje met vanillesaus en een beetje suiker erop.
Naomi likte haar lippen af en hapte naar meer.
Jeremy hield kennelijk ook van puddingbroodjes. Hun monden pasten precies op elkaar. Zijn lippen, zijn tong, die heel even, bijna per ongeluk, langs haar lippen streek.
Naomi vergat dat ze op een kampterrein stond, met haar rug tegen een muur.
Het voelde alsof ze met haar voeten op een wolk stond. En die wolk nam haar mee de lucht in. Een droom.
En toen kwam de vrije val.
Naomi spreidde haar armen en duikelde duizend keer in de

ruimte. Totdat hij haar voorzichtig losliet en ze weer in de werkelijkheid belandde.

'Zo hé!' fluisterde ze.

'Nou!' zei Jeremy. 'Zeg dat wel!'

Hij zweeg een tijdje. 'En nu ben je meteen lid van het genootschap,' zei hij toen.

'Genootschap?' herhaalde Naomi. 'Hoe bedoel je?'

'Het zoengenootschap.' Jeremy moest lachen om de vraagtekens op haar gezicht.

'Je weet wel. Waar ze allemaal zo geheimzinnig over doen. Dit is wat ze volleyen noemen. Daarom zijn ze zo dol op volleybal.'

Volleyen? Was dat een ander woord voor zoenen? Ineens werd het haar allemaal duidelijk. Alle flauwe grapjes bij het volleybalnet, het aanstellerige gegiechel.

Ze duwde Jeremy van zich af. Stom voelde ze zich. Ongelofelijk onnozel. Dat ze dat niet had gesnapt!

Naomi zette het op een lopen.

'Je hebt zeker erg om me gelachen, hè?' riep ze terwijl ze de hoek omging.

Met haar volle gewicht botste ze tegen iemand op.

'Wie heeft er gelachen?' wilde Fenna weten. 'Wat is er met jou aan de hand?'

'Niks,' snauwde Naomi. 'Ik heb alleen gevolleyd.' Ze keek Fenna uitdagend aan. 'Je weet toch wel wat volleyen is? Of niet soms?'

Fenna begon raar te lachen. 'Natuurlijk weet ik dat. Maar weet jíj het?'

Naomi liep rood aan.

'Dit hier,' zei ze. 'Je weet wel, zoenen... tongen.'

Fenna's mond viel open.

'Jij? Heb je écht gevolleyd? Met wie dan?'

'Met Jeremy.'

'Met wie?'

Fenna had geen idee wie ze bedoelde, zag ze. Hoe was het mogelijk!

'Jeremy. Die met dat lange haar.'

'Hij?' Fenna staarde in de richting van Jeremy, die op een afstandje een hulpeloos gebaar maakte naar Naomi.

'Naomi, je begrijpt het verkeerd,' riep hij over het kampterrein en hoorbaar voor iedereen. 'Ik vind je écht leuk! Ik vind je duizend miljoen keer leuker dan al die andere grieten bij elkaar. Ik vond niets aan dit kamp. Totdat ik jou ineens zag.'

'Wauw hé,' zuchtte Fenna na Jeremy's publiekelijke liefdesverklaring.

Naomi haalde opgelucht adem. Fenna wist van niets. Dat was duidelijk. Jeremy zat dus niet in een gemeen complot om haar belachelijk te maken. Hij vond haar echt leuk!

Ze smolt.

'Hoe was dat, dat zoenen met hem?' wilde Fenna weten.

'Het was…' Naomi keek naar Jeremy en zocht naar het juiste woord… 'zo'n gevoel alsof je droomt en dan valt.'

Fenna keek haar ongelovig aan. 'Vond je het écht lekker?'

Naomi knikte. Bij de gedachte aan de kus voelde ze zich helemaal warm van geluk worden.

'Zij wel,' zei Fenna en ze keek nijdig in de richting van Carl. 'En had je dan niet het gevoel dat hij…' Fenna duwde haar handen in de zakken van haar spijkerbroek, 'dat hij…' Ze zweeg en zuchtte diep. 'Getver. Die van mij zat met zijn tong zowat in mijn keel. Ik vond er niets aan. Het leek wel of het een gevecht was.' Ze trok er zo'n vies gezicht bij dat Naomi bijna moest lachen.

'Dus met hem was het wél lekker?' Fenna keek naar Jeremy, die inmiddels op de schommel was gaan zitten.

Pas na een tijdje schudde ze ongelovig haar hoofd. 'Dat had ik nou echt niet verwacht van zo'n jongen.'

'Waarom niet?' vroeg Naomi. 'Hij is toch de leukste jongen van het kamp? Dat zie je toch zo?'

Fenna keek een beetje zuur. Haar ogen flitsten van Jeremy naar Carl en weer terug.

'Toch is het gek,' zei ze. 'Ik zie hem nu eigenlijk pas. Hoe kan dat nou toch?' Fenna keek haar vriendin niet-begrijpend aan. 'Ik ben toch niet blind of zo?'

Naomi knikte. 'Stekeblind, Fenna. Zeker weten. Ik viel meteen op hem. Vanaf het eerste moment dat ik hem zag staan.'

'Gek is dat,' zei Fenna opnieuw. Ze staarde schaamteloos naar de jongen. 'Weet je wat ik vind... hij heeft een engelengezicht.'

Naomi knikte. 'Ja, dat klopt wel zo'n beetje,' zei ze lachend. 'Hij zoent hemels.'

Ze dacht aan de kus, aan de vrije val in zijn armen. Kippenvel kreeg ze ervan.

Ja, dacht ze, engelen bestaan. En deze engel was speciaal voor haar naar de aarde afgedaald. Hij had zich zelfs onzichtbaar gemaakt voor de anderen. Alleen voor haar was hij er.

'Ja Fenna,' zei ze toen ze de teleurgestelde blik van haar vriendin zag, 'dat is wel even balen, hè?'

Dat triomf zo goed smaakte!

Ze draaide zich hooghartig om en liep naar Jeremy, die meteen plaats voor haar maakte op de schommel.

'Zal ik je duwen?' vroeg hij, terwijl hij de schommel naar achteren trok.

Met haar blik op de andere kinderen gericht, knikte ze.

'Ja,' zei ze voordat hij haar losliet. 'Tot in de wolken.'

De gestolen kus

Joost Heyink

Ik had er natuurlijk nooit aan moeten beginnen.
Achteraf is het makkelijk praten, dat weet ik wel. Zo werkt het dus niet. Mijn vader weet achteraf altijd precies hoe het had gemoeten, in de vakantie bijvoorbeeld. Maar toch staan we altijd weer in de file en ook nog op de verkeerde weg. Dat ligt dan aan mijn moeder, want die kan niet kaartlezen, zegt hij. Ruzie. En dan gaat hij achteraf uitleggen hoe we hadden moeten rijden. Ja, achteraf, zo kan ik het ook.
En zo weet je van tevoren dus nooit of tante Nel eerst links en dan pas rechts gaat zoenen en niet andersom. Dat geeft dus de vervelende situatie waarin jij rechtsom gaat en tante Nel ook. Dan raak je elkaar helemaal verkeerd, probeer maar uit.
Je zou het allemaal vooraf moeten weten.
Toch had ik er nooit aan moeten beginnen.

Ik ben een jongen van veertien. Verder heb ik rood haar, wat iedereen mooi lijkt te vinden behalve ikzelf, en ben ik niet groot, zoals ik mijn gestalte het liefst omschrijf.
Als je veertien bent, denk je bij het woord 'kus' niet direct aan je opa, je zus of je tante. Ik heb het hier over de zoen, de kus aan iemand anders. Ik heb het over DE KUS.
Laat ik beginnen met te zeggen dat met DE KUS op zich niks mis is. Ik heb er ervaring mee, ik weet waar ik het over heb.

Het is me overkomen, het stonk niet, ik proefde geen spruitjes en liptechnisch was er ook niet veel fout. Wel knalden mijn voortanden tegen die van haar, wat even zeer deed, maar dat was niet meer dan een bedrijfsongelukje.

Maar lekker, nee.

Het meisje zat bij mij in de klas.

Louise.

Ik had het niet moeten doen, maar ja, dat is achteraf praten.

Vóór de eerste kus had ik geoefend.

Ik ben voor de spiegel gaan staan en heb mezelf diep in de ogen gekeken. Om op gang te komen heb ik eerst mijn rechterhand uitgestoken naar die aan de overkant. Die stak ook zijn hand uit, maar de verkeerde, heel gek. Andersom ging het ook niet goed. Logisch, zul je zeggen, maar je bent er niet op verdacht.

Ik besloot een kus te proberen.

Eerst voorzichtig en zachtjes op de wang. Ik bewoog mijn lippen langzaam naar de spiegel. Mijn ogen hield ik open, want ik wilde goed richten. Maar hoe ik ook mijn best deed, ik kreeg het niet voor elkaar. Telkens als ik vlak bij de spiegel was, draaide de wang weg en bood mijn spiegelbeeld zijn lippen aan. Het lukte mij niet mezelf op de wang te kussen.

Je zou zeggen, dat spiegelbeeld doet precies hetzelfde als jij. Dus als jij hem op de wang kust, doet hij dat ook bij jou. Mooi niet dus.

Het idiote is dat je spiegelbeeld wat anders wil dan jij. Jij wilt een wangkus, hij wil alleen vol op de mond. En hij krijgt zijn zin, wat je ook probeert.

Goed, hij zijn zin dus.

Ik hield mijn hoofd een beetje schuin, dat doen ze in de film ook. Begrijpelijk, anders botsen de neuzen. De ander moet het hoofd dan ook een beetje schuin houden, natuurlijk. Dat deed mijn spiegelbeeld keurig, maar naar de verkeerde kant. Andersom lukte ook niet.

Dan maar recht vooruit. Langzaam naderde ik mezelf. Ik deed mijn ogen dicht, op gevaar af van verkeerd uitkomen. Maar dat gebeurde niet. Toen mijn lippen de koude spiegel raakten, opende ik mijn ogen en keek mezelf aan. Ik wist niet hoe snel ik ze weer dicht moest doen. Ik duwde nog iets harder en draaide wat heen en weer met mijn lippen. Mijn andere ik duwde even hard terug. Daarna maakte ik me teder los van mezelf. Ik was tevreden, de proef was geslaagd. Ik had het idee dat ik het kon.

Maar ik dwaal af.

Louise had lang bruin haar, blauwe ogen en kleine ringen in haar goddelijke oorlelletjes. Ze was nogal mager, en een halve kop groter dan ik, wat voor de hand lag, want ik ben – ik moet het toegeven – een klein ventje. Maar als je klein bent, leer je trucjes om zo'n hoogteverschil te verdoezelen. Zo had ik vrij dikke zolen onder mijn schoenen, maar dat voordeel viel direct weg als Louise schoenen met hakjes aanhad. En die had ze helaas vaak aan.

Daarom moest ik me van andere tactieken bedienen.

Dus als zij bij mij in de buurt kwam, was het zaak om zo snel mogelijk te gaan zitten. Als je zit, is je lengte niet goed in te schatten en val je dus niet onmiddellijk af als kandidaat-vriendje. Als Louise eenmaal ergens zat, kon ik rustig opstaan en een beetje stoer rondwandelen, want ook dan is vergelijken niet goed mogelijk. Naast elkaar zitten ging ook, dan deed ik of ik wat in elkaar gezakt zat. Tegenover elkaar staan was uit den boze, dan was alles verloren. En op een uitnodiging om te dansen, paste alleen een smoes over een verstuikte enkel die ik bij rugby had opgelopen. Al met al moest ik mijn kop er goed bij houden, voor je het weet val je door de mand.

Ik viel dus als een blok voor Louise en zij voor mij.

Dacht ik.

Want ze keek me vaak aan in de klas, terwijl ze zes meter verder zat. Ze keek volgens mij veel vaker naar mij dan naar andere jongens, maar geteld heb ik het natuurlijk niet. En, dat is ook weer zoiets geks, je weet alleen maar of iemand je aankijkt als jij die ander aankijkt. Dus het kan best zijn dat Louise me een paar honderd keer vaker heeft aangekeken dan ik weet. Wat ik wel weet, is dat ik een paar duizend keer naar haar keek. Drie keer glimlachte ze toen ze het zag. Als dat geen aanwijzing was dat het goed zat!

Nu ik geoefend had op de spiegel was ik bijna klaar voor de eerste kus. Toch leek het me raadzaam me nog wat beter voor te bereiden. Misschien was het goed om eens nauwkeurig te kijken naar de tactiek en uitvoering van specialisten. Dus ging ik naar de videotheek en huurde een romantische film met Bruce Willis. Als die het niet kon, dan kon niemand het.

Ik weet niet meer hoe zijn tegenspeelster heette, maar ze had lang bruin haar, was mager en had blauwe ogen. Bingo! Wel was ze kleiner dan Bruce, maar je kunt niet alles hebben.

Op een zaterdagmiddag – ik was alleen thuis – kroop ik op de bank, videozap bij de hand en draaien maar.

Na een half uur de eerste zoen. Nou ja, zoentjes. Tien minimale tuutjes achter elkaar en nauwelijks raak. Het zag er niet uit. Het zal wel intiem en teder bedoeld zijn geweest, maar dit was niet waar ik de video voor had gehaald. Dit was geklungel, de boel ophouden. Het ging mij om DE KUS.

Ik drukte op 'zoeken', want het duurde me allemaal veel te lang. Drie minuten lang flitsten bergen, bossen, Bruce Willis en zijn vriendin voorbij.

En daar was hij. DE KUS!

Gauw de stopknop ingedrukt, stukje terug en toen 'weergave'. Bruce liep langzaam naar de vrouw toe en ging voor haar

31

staan. Ze keken elkaar een paar seconden in de ogen. Toen gebeurde het.

Bruce stak zijn arm uit, legde zijn hand in haar nek, trok haar hoofd naar zich toe en duwde zijn lippen tegen die van haar. Het ging bliksemsnel, de openingshandeling was voorbij voor ik het goed gezien had. Dus ik spoelde terug om het nog een keer te bestuderen. En nog eens. Arm omhoog, hand in haar nek, trekken, mond ertegenaan. Wat een techniek van die man!

Toen kwam de zoen. Die duurde nogal lang. Eigenlijk was het een tamelijk onsmakelijk gezicht. Het leek of ze deden wie het hardst kon duwen. En Bruce deed telkens zijn mond open en weer dicht, alsof hij iets naar binnen wilde krijgen. Dat lukte kennelijk niet, want hij bleef maar proberen.

Zijn vriendin vond het allemaal prima, want zij deed ook van aaoooh aaoooh met haar mond. Ook was haar tong even te zien.

De film duurde anderhalf uur, maar ik heb er meer dan twee uur over gedaan. Ik wist genoeg.

Ik had een feestje bij mijn vriend Frits, en Louise was er ook. Dat was geen toeval, want zij was de vriendin van Klaar en die ging met Frits.

Toen Louise binnenkwam, liet ik me onmiddellijk op een zitzak vallen. Ja, ik had me goed voorbereid.

Ik had me voorgenomen niet in haar richting te kijken als ze langs me zou lopen, maar af te wachten. Die ongeïnteresseerde houding had ik van Bruce Willis opgestoken.

'Hoi Erik,' zei Louise.

Ik draaide mijn hoofd om en keek verbaasd. 'Hé Louise, jij ook hier?' Ik voelde dat mijn hoofd ging gloeien, maar het was gelukkig schemerdonker.

'Natuurlijk ben ik hier, wat had je dan gedacht?'

32

Onmiddellijk besefte ik dat ik de verkeerde tactiek had gebruikt. Ik probeerde een scheef lachje. 'Geintje.'

'Hallo Frits,' zei Louise terwijl ze doorliep. Ze sloeg haar armen om hem heen en kuste hem. Op zijn wangen gelukkig. Drie keer, dat wel. Ze deed alsof ze het leuk vond en ze speelde het goed. Beroerd goed, vond ik.

Even later ging ze naast Klaar zitten en dat leek mij een goed moment om op te staan. De cola stond links achter in de kamer op een tafeltje en met een kleine omweg zou ik twee keer voor Louise langs kunnen lopen. En als jij staat en zij zit, lijk je langer dan je in werkelijkheid bent, een situatie waarover ik had nagedacht.

'Leuk feest, of niet?' vroeg Frits een uur later.

'Tof,' zei ik. Ik had me inderdaad niet verveeld, want ik had het nogal druk gehad met gaan zitten als Louise opstond en andersom. Verder was er niet veel gebeurd. Ik had een keer achteloos gezegd: 'Jij nog een cola?' 'Ik heb nog, dank je,' had ze geantwoord. Dat 'dank je' betekende veel voor me. Dat zeg je niet tegen iedereen.

'Waarom dans je niet even met Louise?' vroeg Frits. 'Leuke meid, of niet?'

'Mwah,' zei ik. Ik wilde van alles met Louise, maar ik kon Frits natuurlijk niet gaan uitleggen dat dansen met Louise nou eenmaal volstrekt niet kon.

Maar hij had me wel op een idee gebracht. Zolang Louise op de bank zat, was het misschien slim om in haar buurt te gaan dansen. Met een ander. Als je wilt opvallen bij iemand die je leuk vindt, moet je met een ander gaan dansen, schoot er door me heen.

Ik keek rond. Er was één meisje kleiner dan ik. Maartje. Een propje met kort blond haar en kleine oogjes.

'Even dansen?' vroeg ik.

'Graag,' zei ze.

33

En daar gingen we. Nou ja, ik. Wat Maartje aan het doen was, weet ik niet, maar met dansen had het niets te maken. Vanuit een ooghoek zag ik Frits lachen. Ik begreep dat ik mijn zaak eerder zat te verknoeien dan dat ik indruk maakte op Louise. Ik bedankte Maartje en ging weer zitten. Ze hield mijn hand langer vast dan ik prettig vond.

Om twaalf uur riep Frits dat het feest voorbij was. Iedereen ging staan en begon elkaar te zoenen. Ik bleef zitten.

Het wonder gebeurde. Louise kwam bij me staan.

'Is er wat?' vroeg ze.

'Och, die enkel,' zei ik en ik wreef over mijn voet. 'Die rugbypartij van vorige week, weet je wel. Lopen gaat wat moeilijk, ik zit liever.'

'Goh, en daarnet was je nog aan het dansen,' zei Louise. Oempf!

'Maartje wilde zo graag. Ik hoop dat ze niet heeft gemerkt dat ik pijn had.' Goed gevonden, leek me.

'Tot maandag,' zei Louise en weg was ze.

Dit gesprek heb ik 's nachts zeker tachtig keer als een film tegen mijn gesloten oogleden afgedraaid. En volgens mij was er maar één conclusie mogelijk.

Mijn zus Katja is drie jaar ouder dan ik en een ervaren kusser. Ze heeft met zeker tien jongens gezoend. Met Ahmed, met Hakim, met Johnny, en met Appie uit de Waalstraat. Ik heb het zelf gezien.

Nou kan ik niet zo best opschieten met mijn zus, maar het leek me toch verstandig om haar nog een paar vragen te stellen. Ik wist hoe ik moest zoenen en ik wist met wie ik het wilde. Dat was verder geen probleem. Maar wanneer doe je het? Wat is het moment?

'Waar heb je het over, dwerg? Waarom ben jij geïnteresseerd in zoenen?'

'Doe niet zo flauw, Kat,' zei ik.

'Ik zou er niet aan beginnen als ik jou was,' zei Katja. 'Je kunt er niet eens bij.'

'Wel als ik zit,' zei ik, want ik had erover nagedacht. 'Vertel nou, wat is het goede moment om een kus te geven? Wanneer kun je tegen jezelf zeggen: nu kan het?'

'Nou vooruit. Als het meisje met je uit wil. Als ze om je grapjes lacht. Als ze je dan lief aankijkt. En als ze dicht bij je staat of zit. Zit, in jouw geval, dwerg. En als ze dan net iets aardigs tegen je heeft gezegd, wat ik me niet kan voorstellen trouwens, dan is dat het moment.'

'Voor de kus?'

'Voor de kus.'

Het was me helemaal duidelijk.

Nou ga ik iets vertellen waar je verder je mond over moet houden. Ik wil absoluut geen gezeur in de klas en geintjes achter mijn rug. Als je klein bent, heb je het toch al niet makkelijk, maar als dit bekend zou worden, heb ik geen leven meer.

Het is ook een beetje belachelijk, natuurlijk.

Maar als ik iets in mijn kop heb, dan wil ik het ook goed doen. Dus ik besloot de hele zoenscène nog eens uitvoerig door te nemen.

Ik ging op een middag naar mijn kamer en deed de deur op slot. Met een opgevulde spijkerbroek, een trui en een paar schoenen flanste ik een pop in elkaar die ik vasttapete op een rechte stoel. Voor Louises hoofd koos ik een voetbal, waarop ik met een viltstift twee ogen en een ruim uitgevallen mond tekende. Een honkbalpet erop en klaar was Kees. Bijna klaar, want het hoofd van Louise viel keer op keer op de grond en stuiterde dan tot onder mijn bed. Maar uiteindelijk had ik haar kop stevig vastgeplakt.

Al met al zag Louise er niet uit. Ze leek er zelfs niet op. Maar

35

ik vermande me. Het ging om het idee. Het droogzwemmen kon beginnen.

Ik pakte een tweede stoel en ging naast Louise zitten.

Zo. Daar ging hij.

Ik keek Louise aan.

Ik bedacht wat Katja had gezegd. Zachtjes vertelde ik een mop. Louises mond lachte, want die had ik zo getekend. Ik deed mijn ogen even dicht en stelde me voor dat ze me lief aankeek. En ik luisterde naar haar zachte stem. Ze zei iets aardigs! Het moment!

Bruce Willis! Hoe deed hij het ook al weer? O ja. Hand in haar nek, het hoofd naar voren trekken en je lippen op de hare drukken.

Ik stak mijn hand uit, legde die achter de bal en trok het hoofd van Louise met een ruk naar mijn gezicht. Ik kuste de bal vol op de mond. Dat Louises nek door de snelle handeling was gebroken en haar hoofd op de grond viel en onder het bed rolde, was niet van belang. De oefening was geslaagd.

Nog twee keer heb ik de training overgedaan en beide keren ging het hartstikke goed.

Ik was klaar.

'Hoi Louise,' zei ik. Ik was tijdens het overblijven naast haar gaan zitten.

Ze keek op van haar boterham, draaide haar hoofd opzij en schudde haar donkere haar uit haar gezicht. God, wat was ze mooi!

'O hallo.' Ze keek weer naar haar brood.

'Louise?'

'Mm?' Ze was aan het kauwen.

'Ik eh... Ik bedoel...' Mijn mond zat opeens vol. Met mijn tong vooral. Het was of die drie keer zo groot was als normaal.

'Wat is er?'

Het ging niet.
'Ik eh... wat heb jij erop?'
'Pindakaas met suiker,' zei ze.
'Lekker.' Dat kwam er tenminste normaal uit.
'Ja, lekker.'
'Heb je... Ik bedoel... er draait een film in de City.' Dat was
eruit.
'Goh, leuk. Maar dat is al een paar jaar, hoor.'
'Nee, ja, dat weet ik... ik bedoel... Er draait een leuke film.
Nu. Deze week. *Crash* heet die.'
'Rare naam.' Louise begon aan haar tweede boterham met
pindakaas.
Ik moest nu doorzetten. Ik was er bijna.
'Heb je... Ik bedoel... heb je zin om erheen te gaan? Naar
Crash, bedoel ik?'
Louise kauwde en slikte. Ze keek me aan. Een heel klein lach-
je. Veel was het niet, maar het was een bemoedigend signaal.
'Zin?' Ze nam nog een hap.
'Ja. Die film. Ik bedoel... heb je zin... wil je... Zullen we naar
Crash gaan? Vrijdag?' Het was eruit.
Louise stopte het laatste stukje brood in haar mond. Ze veeg-
de een bruin vlekje uit haar mondhoek en ging achteroverzit-
ten. 'Vrijdag moet ik altijd naar trampoline.'
Ik maakte me zo groot mogelijk. Ik kwam bijna boven haar uit.
'Zaterdag dan?'
Het was even stil. Toen keek Louise me aan en ze lachte. ZE
LACHTE!
'Je bent een rare knakker, Erik.' Ze lachte nog steeds.
'Zullen we?' vroeg ik.
'Als het een leuke film is, vooruit.'
Veel langer duurde ons gesprek niet, maar ik zwoof of zweef-
de de rest van de middag door de gangen en lokalen en waar
het allemaal over ging die dag weet ik niet meer.

37

's Avonds begon ik aan een gedicht maar verder dan het eerste woord kwam ik niet.

Het eerste wat me opviel, was dat Louise platte schoenen aanhad. Dat was heel lief van haar. Een aanwijzing dat het goed zat. Ik kon het niet anders opvatten.
Ik had me er nogal zorgen over gemaakt. Stel dat ze plateauschoenen of halfhoge hakken aan haar voeten heeft! Dan kon ik het schudden. Ook al had ik mijn schoenen met de dikste zolen aangetrokken. Niet dat we nu bijna even groot waren, maar het verschil was in ieder geval niet meer lachwekkend.
We vonden op de achterste rij twee stoelen in het midden. Het leek me een ideale plek. Niemand in je nek die meekijkt, het was bijna intiem. Alsof we naast elkaar op een bankje zaten. Ik kreeg het warm, vooral toen het licht uitging.
In de film zaten een paar liefdesscènes, dat kwam goed uit. Ik keek even opzij. Louise zat een beetje onderuitgezakt, de beker popcorn die ik voor haar gekocht had in haar hand. Ze zag er tevreden uit, zoals ze daar zat te kauwen.
Ik besloot de film aan me voorbij te laten gaan. Er waren belangrijker dingen.
DE KUS.
Het moment zou tussen nu en over een uur moeten zijn. In gedachten herhaalde ik alles wat van belang was. Ik ben niet iemand die er met de pet naar gooit. Een spreekbeurt bereid ik ook altijd goed voor en met toneel ben ik altijd de eerste die de tekst uit zijn hoofd kent. Dat zit gewoon in me.
Dus: 1: Grapje vertellen. 2: Ze lacht. 3: Ze kijkt lief. 4: Ze zegt iets aardigs. Dat is het moment. Dan deel twee, de zoen. 5: Hand in haar nek. 6: Trekken. 7: Mond op haar mond duwen. Eventueel mond open en weer dicht, dat hing ervan af. Klaar. Ik repeteerde nog twee keer in mijn hoofd.
Toen was het pauze.

'Mooie film, vind je niet?' vroeg Louise toen we aan de cola zaten.

'Prachtig,' zei ik. Ik had geen flauw benul waar de film over ging.

'Volgens mij heeft die met die snor het gedaan,' zei Louise.

'Dat idee had ik ook al,' zei ik. Kennelijk deed er iemand mee met een snor.

Ding dong. We zochten ons bankje op.

Tegen het einde van de film werd ik knap zenuwachtig. Het werd tijd. Voordat het licht aanging, moest het ervan komen. Kom op! Wees flink! Niet bang zijn! Je hebt je goed genoeg voorbereid.

'Louise,' fluisterde ik.

Ze keek opzij.

'Als iedereen in de zaal zich tegelijk omdraait om zijn achterbuurman een hand te geven, dan lukt dat dus niet. Snap je hem?' Ik was er niet zeker van of ik hem goed vertelde.

Het grapje.

Louise lachte kort en keek weer naar het scherm.

Ze lacht.

Ik stootte Louise zachtjes aan en schudde met mijn hand in de lucht. Het kon geen kwaad het grapje nog wat uit te bouwen.

Even keek ze me aan en knipperde met haar ogen.

Ze kijkt lief.

Zou het gebeuren? Laat het gebeuren!

'Leuk,' zei Louise, 'maar ik zit nu naar de film te kijken.'

Leuk! Ze zei 'leuk'!

Ze zegt iets aardigs.

Dit was het moment.

Alles klopte.

Het was precies zoals het moest.

Nu!

Ik stak mijn arm uit, legde die om haar nek en trok. Ik moest meer kracht zetten dan ik had verwacht, maar het lukte: Louises hoofd kwam naar me toe en hoewel het moeilijk richten was, raakten mijn lippen die van haar. Onze tanden ook, maar dat was maar even. Louise ging nogal heen en weer met haar hoofd, wat leek op de beweging die de vriendin van Bruce Willis in de film ook maakte. Al met al viel het niet mee om haar mond op de mijne te houden. Toen ik haar nek losliet, knalde ze achterover. Ze leek wel van elastiek.

Tot zover ging alles volgens planning.

Tot ik die dreun kreeg.

Op mijn neus, met haar vlakke hand. Het deed niet eens pijn. Wel voelde ik dat het nat werd op mijn bovenlip. En daarna op mijn kin. Er druppelde wat.

Louise zei nog iets, maar dat heb ik niet verstaan.

Toen was ik alleen.

Weken heb ik zitten piekeren. Slecht geslapen.

Zo zorgvuldig was ik geweest, ik had zo enorm mijn best gedaan. Ik begreep niet waar het fout was gegaan.

En nog steeds begrijp ik het niet.

Wel weet ik nu dat ik er nooit aan had moeten beginnen.

Maar ja, dat is achteraf. Achteraf heb je makkelijk praten.

Lach me dus niet uit.

Het kan jou ook gebeuren.

Zoenziek

Mirjam Mous

Sterre kruipt bijna ín de tv. 'Ja, ja! Raak!' Ze juicht alsof er zo-juist een doelpunt is gescoord.
Dus niet.
We kijken niet naar een voetbalwedstrijd maar naar een video-band van Doornroosje. De prins heeft zijn schone slaapster zo-juist wakker gekust.
'Je zegt het tegen niemand, hoor,' waarschuw ik Sterre.
'Wat?' Ze pakt de afstandsbediening en spoelt de band mét beeld een stukje terug.
Nu lijkt het alsof de prins Doornroosje in slaap kust.
'Nou, dat we zo'n kleuterfilm hebben gezien,' zeg ik. 'Als ze erachter komen, lacht de hele school ons uit.'
'Hmm.' Sterre drukt op de play-knop en staart weer gehypno-tiseerd naar het scherm.
De prins zoent Doornroosje voor de ik-weet-niet-hoeveelste keer.
'Sterre!' Ik probeer haar wakker te schudden. (Aan kussen heb ik een broertje dood.)
'Ja-ha.'
'Ga nou mee wat anders doen.' Ik ga voor het toestel staan.
'Nog één keertje,' zegt ze. 'Ik moet het toch leren?'
Kreun!
Was het nog maar donderdag, toen deed ze nog normaal.

41

Sterre is ziek. Zoenziek.

Het is gisteren met een artikeltje in *Tina* begonnen. Er stond in dat negentig procent van alle meisjes van twaalf jaar al een keer heeft gezoend.

'Maar ik niet!' riep Sterre.

'Wel waar.' Ik zag de bui al hangen. 'Je vader, je moeder, je opa, je oma, je tan...'

'Ja, doei. Dat telt niet.' Sterre schudde woest met haar hoofd. 'Ze hebben het hier over echt zoenen. Vol op de mond.'

Ik stelde me jongens met rotte kiezen voor die ook nog eens grote tenen knoflook hadden gegeten. 'Gatver.'

Maar Sterre dacht waarschijnlijk aan knappe prinsen die drie keer per dag hun tanden poetsen.

'Nee, joh,' zei ze. 'Verliefde stelletjes die zoenen, zien er altijd hartstikke gelukkig uit.'

'Hartstikke dom, bedoel je.' Ik zag voor me hoe Sterre met een jongen stond te kussen en kreeg een vieze smaak in mijn mond. 'Trouwens, misschien word je wel nooit verliefd.'

Meteen keek ze vreselijk ongerust. 'Straks ben ik een oud omatje en dan heb ik nog steeds niet gekust!'

Als er een prijs voor overdrijven bestond, had Sterre hem allang gewonnen.

'We moeten nu meteen naar de bieb,' zei ze. 'Ik wil er alles over weten.'

Ze leende een boek dat *Om te zoenen!* heet. En die kleutervideoband van Doornroosje dus.

(De enige die we konden vinden waarin gekust werd. We hadden beter naar de videotheek kunnen gaan om een romantische film te huren met Julia Roberts. Dan had ik er tenminste ook nog plezier van gehad.)

'Voor haar kleine zusje,' zei ik tegen de vrouw achter de balie.

Zelfs als het een seksfilm was geweest, had ik me minder geschaamd.

42

Ik dans voor het televisiescherm en tover een paar euro's uit mijn zak. 'Ga nou mee! Dan trakteer ik op snoep.'
Eindelijk vergeet Sterre haar prins. 'Negerzoenen!' roept ze.
Ik had het kunnen weten.

Even later lopen we door de supermarkt, speurend naar dozen met negerzoenen.
Bij de pindakaas staan een jongen en een meisje elkaar innig te omhelzen, hun lippen als zuignappen tegen elkaar geplakt.
'Dat ze dat doen,' fluister ik. 'Zomaar waar iedereen bij is.'
Sterre hoort het niet eens. Ze staat met open mond de kunst af te kijken.
'Kom nou,' sis ik.
'Nog even.' Ze zet nieuwsgierig een stapje dichterbij.
De jongen heeft heel goede oren of een ingebouwde radar. Meteen opent hij één oog.
Weg romantiek.
Hij laat het meisje los en snauwt tegen Sterre: 'Wat moet je?'
'Nou…' begint ze.
Straks gaat ze hem nog om zoentips vragen, denk ik ongerust. Met Sterre weet je het maar nooit.
'Potje pindakaas pakken,' zeg ik snel en ik schuif voor hen langs.

Ik kijk naar het prijsje op het deksel. 'Ik heb niet genoeg geld om ook nog negerzoenen te kopen.'
'Maar ik lust niet eens pindakaas,' moppert Sterre.
'Ik zet het niet terug, hoor,' waarschuw ik. 'Die jongen deed toch al zo chagrijnig.'
Ze haalt haar schouders op. 'Zet hem dan gewoon bij de erwtjes.'
Ik controleer vanuit mijn ooghoeken of het personeel me niet in de gaten houdt. De kust is veilig. Vlug zet ik de pot weg.

'Ze zoenen nog steeds,' fluistert Sterre vol bewondering. 'Wat kunnen die hun adem lang inhouden, zeg.'
Zelfs met die oenige blik is ze tien keer knapper dan ik. Haar zwarte haren lijken op donzige veertjes en ze heeft ogen als sterren.
'Volgens mij moet je door je neus ademhalen,' zeg ik.
'En als je nou verkouden bent?'
'Dan stik je.' Ik probeer pesterig te klinken.
'Gelukkig ben ik niet verkouden!' roept Sterre blij.
Nee, dat niet. Maar zoenziek zijn is nog veel erger. Het lijkt wel alsof ze gehersenspoeld is; een andere geest in hetzelfde lichaam.
'Pak jij die negerzoenen nou maar.'

We zitten op het bankje bij het winkelcentrum en eten negerzoenen.
'Denk je dat ik er al klaar voor ben?' vraagt Sterre.
'Waarvoor?' Ik lik de room uit het kuipje van koek.
'Om het uit te proberen, natuurlijk!' Ze kijkt naar een jongen die voorbijkomt. Hij loopt als een gorilla. Zijn benen zijn als een hoepeltje zo krom en zijn bovenlijf wiegt op en neer.
'Denkt zeker dat hij stoer is.' Ik pak mijn derde negerzoen en bijt het kapje eraf.
'Maar misschien is hij een kei in kussen.' Sterre krijgt een dromerige blik in haar ogen.
Ik heb er genoeg van en plet de rest van mijn koek tegen haar mond. 'Hier heb je een negerzóén.'
'Juul!' gilt ze.
'Moet je maar niet zo stom doen. Alsof kussen zo belangrijk is.'
Ze likt haar lippen af. 'Wil je dan dat we oude vrijsters worden?'
'Hallo-ho, we zijn pas twaalf!'
'Maar misschien loop ik morgen wel onder een auto,' zegt ze. 'Dan ga ik dood zonder dat ik ooit heb gekust.'

'Doe niet zo triest,' snauw ik.

'Wil jij dan niet zoenen?' vraagt ze ongelovig.

'Als je zo doorgaat, word ik non.'

Als ik de volgende dag op haar kamer kom, vind ik Sterre in een innige omhelzing met haar kussen.

'Ik heb gelezen dat je het best je ogen dicht kunt doen,' zegt ze. 'Zodat je je beter op de kus kunt concentreren.'

'Zodat je zijn pukkels niet kunt zien, bedoel je.' Ik maak briesende geluiden.

Maar Sterre gaat onverstoorbaar verder: 'Je moet je hoofd een beetje schuin houden, anders tikken je tanden tegen die van hem.' Ze doet het voor bij haar kussen.

'Dat ding heeft niet eens tanden,' zeg ik.

Met een zucht gaat ze languit op het bed liggen. 'Je hebt gelijk. Ik moet een jongen hebben om het op uit te proberen.'

Ik weet niet waarom, maar ik heb ineens een hekel aan de gehele mannelijke bevolking. 'Ik zou een advertentie in de krant zetten.'

Ze rilt. 'Daar komen alleen maar griezels op af. Trouwens, ik durf niet met een vreemde. De eerste keer is al spannend genoeg.'

Sterre die zenuwachtig is! Ze durft altijd alles. Het wordt hoog tijd dat ze weer normaal wordt.

'Iemand van school,' opper ik daarom voorzichtig.

'Hein is wel leuk.' Ze draait een zwarte haarlok rond haar vinger. 'Maar die heeft het al met Lotte.'

'Milan dan?' Dat is zo'n ei, daar wordt Sterre in elk geval nooit verliefd op. Ik wil dat ze zoent, geneest en weer gewoon mijn beste vriendin is.

'Die is een kop kleiner dan ik.' Ze rolt op haar zij. 'Hij moet op een trapje gaan staan wil hij erbij kunnen.'

Ik grinnik bij het idee.

Maar dan zegt Sterre: 'Met Niels zou ik, denk ik, wel willen. Hij ziet er leuk uit en hij is net zo groot als ik.' Even zwijgt ze. 'Ik kan het hem toch vragen? Gewoon één zoen.' Ze tuit haar lippen. 'Of... Als jij het nou aan hem vraagt? Als hij dan niet wil, ga ik tenminste niet af.'

'En hou je daarna op?' vraag ik.

Ze knikt.

'Zweer het.'

Ze maakt een V van haar vingers en spuugt ertussendoor.

'Gezworen.'

'Goed, ik zal je helpen,' beloof ik. 'Morgen praat ik met Niels.'

Sterre begint meteen te zingen. 'Tomorrow, tomorrow. I love you, tomorrow...'

Ik steek mijn vingers in mijn oren. Als je zoenziek bent, zing je nog steeds vals.

De volgende dag staan we in de pauze op het schoolplein. We kijken naar Niels, die met een groepje jongens staat te kletsen.

'Vraag het dan,' zegt Sterre.

Ik heb spijt als haren op mijn hoofd.

'Je hebt het beloofd.' Ze trekt dat gezicht waar ik niet tegen kan.

'Oké dan.' Ik loop naar het groepje en roep: 'Niels.'

Hij is zo druk aan het praten dat hij me niet hoort.

'Niels!' Nu wat harder.

Bjorn stoot hem aan. 'Je vriendinnetje roept je.'

Ik voel mijn wangen branden.

Niels komt schutterig op me af. Volgens mij kan hij ook wel door de grond gaan.

'Niels is verlie-hiefd,' roept Bjorn treiterig.

'Kan ik even met je praten?' vraag ik verlegen aan Niels.

Hij steekt zijn handen in zijn broekzakken en staart verlangend naar zijn vrienden.

'Het gaat over Sterre,' zeg ik gauw.

Hij knikt. 'Mij best.'

'Nou, het zit dus zo...' Ik heb plotseling een groot zwart gat in mijn hersens.

'Wil Sterre verkering?' helpt Niels.

'Nee, zoenen.' Dat is al erg genoeg, denk ik.

Vanuit zijn hals marcheert een leger van rode bloedlichaampjes naar boven. Zijn hoofd verandert in een vuurtoren.

'Ze wil het graag een keer gedaan hebben,' zeg ik. 'Dan hoort ze erbij.'

'Waarbij?' Niels krimpt in elkaar. Straks heeft Sterre toch nog een keukentrap nodig.

'Bij de negentig procent meiden die al gezoend hebben, volgens *Tina*.' Het klinkt dus echt belachelijk, maar voor Sterres genezing heb ik alles over.

'Is goed,' zegt Niels dan eindelijk. Hij wil alweer weglopen.

'Waar en wanneer?' vraag ik snel.

'Na school. Fietsenhok.' Hij loopt weg. Zijn stappen zijn anders. Alsof hij zojuist de lotto heeft gewonnen.

Stel je voor dat hij geweldig kan zoenen, denk ik. Misschien is hij in zijn vorige leven een prins met zoenlippen geweest. Straks raakt het nog aan tussen die twee.

Ik zie me ineens elk weekend alleen zitten omdat Sterre bij Niels is. Bèh!

'En?' Sterre zwengelt aan mijn arm.

'Na school, in het fietsenhok,' zeg ik chagrijnig.

Ze kijkt me smekend aan. 'Je gaat wel mee, hè?'

Sterre is de hele dag zenuwachtig. Als De Groen van aardrijkskunde vraagt waar het Europese Parlement vergadert, antwoordt ze: 'Kussel,' en ze tekent zoenende paartjes in de kantlijn van haar schrift.

Niels is nog drukker dan anders en fluistert met Bjorn en Mi-

47

lan. Volgens mij heeft die oen het verteld, want hun blikken priemen de hele tijd onze kant op.

Ik weet niet waarom, maar mijn maag lijkt wel in de knoop te zitten. Tussen de middag krijg ik geen hap door mijn keel. Alsof ik zelf op kusoefening moet. Ik doe tig schietgebedjes – laat Sterre zich bedenken – maar als de laatste zoemer gaat, fluistert ze: 'Fietsenhok.'

Ze blaast in haar hand en snuift. 'Ruik jij eens. Ik stink toch niet uit mijn mond?'

'Nee, hoor.' Ze ruikt zoals altijd naar pepermuntjes.

We zijn niet de enigen in het fietsenhok. Bjorn komt nooit met de fiets naar school, maar hij staat er toch. Samen met nog zo'n twintig anderen.

'De hele school is er,' piept Sterre.

Dan gaat het vast niet door, denk ik. 'Ik zou maar wachten tot iedereen weg is.'

Niels legt zijn tas op zijn bagagedrager. Sterre staat een paar meter van hem vandaan en kijkt aarzelend.

'De les seksuele voorlichting kan beginnen.' Bjorn tuit zijn lippen als een zoenvis.

'Zoenen, zoenen!' schreeuwt nu iedereen.

Sterre bestudeert haar sneakers alsof het bijzondere kunstwerken zijn. Ik krijg medelijden.

'Je gaat het niet doen, hoor,' sis ik zachtjes. 'Dan sta je voor paal.'

Niels probeert in zijn tas weg te kruipen. Hij haalt een papiertje tevoorschijn en krabbelt er wat op.

'Zoenen!' Bjorn doet het mannetje van de tv-reclame na die op de schouder van een jongen danst. Alleen lijkt het nergens naar. Bjorn heeft de motoriek van een ridder in harnas.

'Echt niet.' Niels stopt zijn pen weg en ritst zijn tas dicht. Dan doet hij de snelbinders eromheen.

Een paar kinderen druipen af. Bjorn begint loeiende geluiden te maken.

'Kom nou mee,' zeg ik tegen Sterre.

Maar ze blijft staan alsof ze nog steeds een wonder verwacht. Kan ze lang wachten!

Niels stapt op zijn fiets en rijdt het fietsenhok uit, rakelings langs ons heen. Ik zie zijn hand in zijn zak verdwijnen. Een propje papier valt op de grond. Sterre heeft niks gezien, die staart nog steeds naar haar sneakers. Ik raap het op en verberg het in mijn vuist.

'Kom, Niels is weg,' zeg ik.

En dan laat ze zich eindelijk meevoeren.

'Boe!' roepen Bjorn en zijn trawanten.

'Hij had zijn kop moeten houden,' moppert Sterre.

Eerst denk ik nog dat ze Bjorn bedoelt, maar dan zegt ze: 'Ik zoen hem never nooit niet.'

Niels dus. Ik maak het propje papier open en laat het aan Sterre zien.

'Een brietje!' roept ze alsof ik blind ben.

Het Eeuwigheidslaantje, staat er. *Over een kwartier. Niels.*

Stomstomstom. Ik had het nooit op moeten rapen.

'Dat halen we nooit meer!' roept Sterre.

Never nooit niet duurt bij haar nooit zo lang.

We fietsen naar het bos met een snelheid alsof we de Tour de France moeten winnen. Sterre kijkt steeds achterom maar we worden niet gevolgd.

We parkeren onze fietsen tegen een eik aan het begin van het laantje.

'Daar staat hij,' fluistert ze.

Ik heb zin om weer op te stappen en weg te rijden.

'Nou, ga dan.' Ik geef haar een duwtje in de goede richting.

'Blijf je wel in de buurt?' Ze kijkt als een angstig konijntje.

49

'Ik denk niet dat Niels publiek wil,' zeg ik.

Maar Sterre laat zich niet zo gemakkelijk ompraten. 'Verstop je maar in de bosjes. Dan ziet hij je niet.' Ze loopt met stijve benen het Eeuwigheidslaantje in.

Ik lijk wel gek! Maar ik kruip toch in de struiken. Als ik door de bladeren gluur, zie ik Sterre bij Niels aankomen. Ze praten wat en slaan dan de armen stuntelig om elkaar heen.

Ik hoop dat hij uit zijn mond stinkt!

Ze zoenen! Nou ja, zoenen. Het is bepaald geen filmkus, en anders in elk geval snel afgedraaid. Na één seconde is het alweer voorbij. Ik begin zelfs te twijfelen of ik het wel goed gezien heb.

Sterre springt opzij alsof ze ergens van schrikt. Niels pakt zijn fiets en rijdt zonder om te kijken weg.

Pfff. De verliefdheid is in elk geval niet als een bliksemflits ingeslagen.

Sterre komt met hangende schouders mijn kant op. Ik kruip uit de bosjes en loop naar haar toe.

'Hoe was het?'

Ze kijkt alsof ze me wel kan wurgen. 'Vies.'

Yes, yes! juicht het in mijn hersens. Maar als ik haar sippe gezicht zie, ben ik niet meer zo blij.

'Hij wilde zijn tong in mijn mond stoppen. Getver, het leek wel een slak!' zegt ze. 'Ik schrok zo dat ik erin heb gebeten.'

Ik houd mijn hand voor mijn mond. Ze mag me niet zien lachen, want dan wurgt ze me echt. Troostend aai ik haar schouder. 'In elk geval hoor je nu bij die negentig procent.'

Ze legt haar hoofd tegen mijn jas en zegt zielig: 'Was het maar waar. Ik heb niet gekust, alleen maar gebeten.'

Haar donzige haartjes strelen mijn wang, zodat ik kippenvel krijg. Ik ruik dennengeur. Van het bos, of is het Sterres shampoo? Ze kijkt me aan met haar sterren van ogen. Ik buig mijn hoofd zodat we wang aan wang staan. Een stroomstootje schiet door mijn vel. Voordat ik besef wat ik doe, gaat mijn mond naar Sterres lippen.

Ze kijkt verbaasd. Ik denk dat ik ook verbaasd kijk.

Haar lippen zijn zacht en warm, haar neus is een koel plekje in mijn gezicht. Ik doe mijn ogen niet dicht. Sterre heeft geen pukkels. Ik concentreer me op haar donzige huid en haar vragende ogen. Ik heb haar nog nooit van zo dichtbij gezien en vergeet bijna te ademen.

Nu horen we allebéí bij die negentig procent, denk ik.

Zoenziekte is besmettelijk. Ik weet het zeker.

Maar ik vind het helemaal niet erg.

Voor de nep

Annemarie Bon

Nee, hè? Ik kon mijn ogen niet geloven.

Het was echt waar.

Lotte stond in de kring met haar ogen dicht. Een kring van wel veertien leerlingen stond om haar heen. Er deden acht meisjes en zes jongens mee.

Lotte zong: 'Een, twee, drie, vier, vijf, zes, zeven, wie zal ik een kusje geven?' Zij draaide in de rondte.

Hoe kon ze toch aan die stomme spelletjes meedoen? Vorige week zei ze nog dat ze blij was niet bij die populaire te horen. 'Pleun,' had ze gezegd, 'wij zijn geen meelopers. Wij hoeven niet zo nodig achter Patries aan te lopen! Het maakt me niks uit dat ze ons soms pesten, zolang wij maar vriendinnen blijven. En wij hoeven tenminste niet aan die zoenspelletjes mee te doen.'

Ik ging bij de fietsenstalling staan. Lekker een beetje uit het zicht. Vanuit mijn ooghoeken zag ik Lotte. Ze had Jasper aangewezen. Wees je een meisje aan, dan ging het nog. Dan hoefde je alleen maar een kusje op de wang te geven. Maar had je de pech een jongen aan te wijzen, dan had je te maken met een regelrechte ramp. Zoals Lotte nu.

Lotte en Jasper moesten nu met de tongen tegen elkaar. Getver! En even met het puntje van hun tong elkaar aanraken was niet genoeg. De kring telde hardop mee. Je moest het minstens

52

vijf tellen volhouden, anders werd je uitgelachen. Waarom was Lotte zo stom om hieraan mee te doen?

Lotte kwam na afloop niet bij mij staan. Ze was met Patries meegerend en stond een eind verderop. Patries had haar arm om Lotte heen geslagen. Ze keken mijn kant op. Het leek wel alsof ze het over mij hadden. Ze lachten.

Een koud gevoel kroop vanuit mijn buik naar boven. Ik hield mijn adem in. Het leek alsof er een band om mijn borstkas geklemd werd. Ik had zin om te huilen.

Er met zijn tweeën niet bij horen is tot daar aan toe. Maar op dit moment voelde ik me alleen en enorm in de steek gelaten. Lotte was al vanaf de basisschool mijn beste vriendin. Nu zaten we in de brugklas. Waarom deed ze zo tegen me? Zou ze zich het gepest toch te veel hebben aangetrokken? Ze was opeens heel dik met Patries. Om erbij te horen? Ze had wel haar beste vriendin ervoor aan de kant gezet.

'Is er iets?' vroeg ik even later onder Nederlands aan Lotte. 'Waarom doe je net alsof ik niet besta?'

Lotte deed een beetje stoer. 'Omdat ik toevallig met Patries ben, hoeft er nog niet iets te zijn. Ben je soms jaloers?'

'Daar gaat het niet om,' zei ik. 'Ik ben niet jaloers. Ik snap niet wat er ineens mis is.'

Lotte haalde haar schouders op. 'Nou, dat is jouw probleem. Ik mag omgaan met wie ik zelf wil. En nu wil ik toevallig graag met Patries omgaan.'

Ik slikte mijn tranen weg. Dirk en Pjotr zitten voor ons. Zij hadden volgens mij alles gehoord. Als ze maar niet omkeken, want ik wilde per se niet dat ze mij zagen huilen.

Lotte was ik kwijt. Dat was me wel duidelijk. Na al die jaren. Zomaar, zonder goede reden, zonder dat ik er iets van snapte. Eén ding nam ik me voor. Ik zou niet rottig gaan doen tegen Lotte. Ik zou normaal en aardig blijven. Aan mij zou ze niets merken. Misschien was het maar tijdelijk en waren we binnenkort weer gewoon vriendinnen. Net als altijd. Ik wist dat ik mezelf maar wat wijsmaakte. Lotte was ineens net een vreemde voor me. Het was afschuwelijk.

Die middag heb ik thuis wel een uur liggen huilen op mijn bed. Toen nam ik een besluit. Ik zou gewoon mijn eigen gang blijven gaan. Geen stomme zoenspelletjes. Geen gegiechel over jongens. Niet meedoen aan wie er de coolste broek of het hipste truitje aanhad. Ik was Pleun. En Pleun was geen meeloper en dat wilde ze ook nooit worden. Zelfs niet als haar beste vriendin haar op zo'n laffe manier liet stikken.

Ik had wel een stoer besluit genomen, maar het was helemaal niet makkelijk. Ik was alleen. Ik miste Lotte. Toch viel het die eerste dagen nog mee, als je eenmaal weet wat er daarna gebeurde. Elke keer als ze dat zoenspelletje gingen doen, kwam Patries vragen of ik meedeed. Wilde ze echt over iedereen de baas spelen? Ik zei steeds nee. Zij reageerde telkens kattig met: 'Nou, dan niet!' Maar na ongeveer een week werd Patries vals.
'Durf je niet?' vroeg ze met een slijmerig stemmetje. 'Ben je bang dat iedereen gillend wegrent als ze jou moeten zoenen? Misschien ruiken ze wel dat je stinkt.'
Ik deed alsof ik Patries niet hoorde, maar natuurlijk had ik haar heus wel verstaan. Ieder woord was als een steek door me heen gegaan. Toen ik een eind weg was en niemand me kon zien, deed ik mijn arm een stukje omhoog. Ik rook onder mijn oksel. Ik rook niks geks. Toen blies ik in mijn hand en probeerde mijn eigen adem te ruiken. Stonk die? Kun je dat ruiken van jezelf?
De volgende dag waste ik me extra goed en poetste mijn tanden na het ontbijt.

'Mam,' vroeg ik voor ik de deur uit ging, 'koop je een keer deodorant voor me?'

'Hoezo dat?'

'Zomaar,' zei ik, 'alle meiden gebruiken dat na gym.' Het liefst wilde ik aan mama vragen of ze vond dat ik stonk. Ik durfde het niet. Ze zou vast doorhebben dat er iets aan de hand was. Ik wilde echt niet dat zij zich ermee ging bemoeien.

Mama keek me aan. 'Ik wist niet dat jij je iets aantrekt van wat anderen doen.'

'Doe ik ook niet, maar dit vind ik wel een goed idee.'

'Oké,' zei mama, 'ik zal wel eens kijken wat een lekker meisjesluchtje is.'

Bij de fietsenstalling stonden ze te wachten. Patries, Wendy, Inge en Lotte. Ja, Lotte stond erbij. Ze deed niet écht mee, maar ze hield de anderen ook niet tegen.

'Ha, daar hebben we Pleuntje,' begon Patries. 'Maar Pleuntje zingt geen deuntje. En ik geef een kreuntje, want bèh, wat stinkt die meid.' Ik liep door. Ik deed alsof ik niks gehoord had.

'Geen jongen geeft haar een zoen. Met zo'n lucht is dat niet te doen,' galmde Wendy erachteraan. En toen deed ik iets wat ik niet had moeten doen. Ik draaide me om naar die vier meiden.

'Oh, nee? Geeft geen jongen mij een zoen? Dan zal mijn vriendje wel een verstopte neus hebben. Ik hoor hem er niet over mopperen.'

Lottes mond viel open. 'Jij hebt geen vriendje,' riep ze.

'Lotte,' zei ik. Ik gooide mijn hoofd een beetje naar achteren. 'Jij weet daar helemaal niets van. Wij spreken elkaar al een tijdje niet meer, weet je wel?'

Patries kwam dichterbij. Ze stond ongeveer met haar neus tegen de mijne.

'Dus jij hebt een vriendje? En wie is die pechvogel dan wel?'

'Dat gaat je geen bal aan!' blufte ik terug. Ik duwde Patries opzij en liep de school in.

Ik keek niet meer om, ook al voelde ik gewoon dat ze me stonden na te gapen.

Pffft. Toen ik binnen was, ontsnapte er een zucht. Wat had ik nu gedaan? Die meiden hadden vast binnen de kortste keren door dat ik helemaal geen vriendje had. En dan? Dan werd het gepest alleen maar erger. Mijn hart bonkte. Nee, slim was ik niet geweest. Maar inwendig moest ik ook grinniken. Had ik ze even lekker te pakken! Ik gluurde door de ruit naar buiten. Ze stonden druk te gebaren met elkaar. Ik wist het zeker, ik wist het zó zeker dat ze het nu over mij hadden. En gek genoeg voelde ik me een beetje trots.

Na school was het meteen raak. Op elke muur stond een groot hart met een pijl erdoor. Aan één kant van de pijl stond 'Pleun'. Aan de andere kant 'zielug!' en 'sterfgeval' en 'de lelijkste jongen die er bestaat'. Naast de uitgang stonden ze weer te wachten met zijn vieren. Even aarzelde ik. Zij waren met zijn vieren. Ik was alleen. Maar toch, ik was niet bang. Ik voelde me stoer. Kom maar op, dacht ik.

Ik keek Patries recht in de ogen. 'Fijn dat jullie ook zo blij voor me zijn.'

Patries keek even heel raar. 'Ben je wel normaal jij?'

'Nee,' zei ik, 'gelukkig niet. Misschien leek ik dan wel op jou.'

Ik dacht dat Patries me wel zou willen aanvallen, maar dat deed ze niet. Ik liep naar huis. Af en toe keek ik voorzichtig om of die vier niet achter me aan kwamen. Ik wist heel goed dat Patries het hier niet bij zou laten zitten. Ze zou me gaan achtervolgen. Dat wist ik gewoon. Ze moest en zou erachter komen of ik blufte of niet. En ik moest haar voor zijn. De vraag was alleen: wat kon ik doen om me te verdedigen? Ik had nu eenmaal geen vriendje. En dat vriendje zou er ook helemaal niet komen, want ik had helemaal geen zin in vriendjes en klef gedoe.

En toen bedacht ik iets. Iets heel slims, al zeg ik het zelf.

Ik had hulp nodig. Hulp van een aardige jongen, die mijn problemen zou snappen. Maar wie? Ik ging in gedachten de jongens uit mijn klas stuk voor stuk af. Rob, Erik, Daan, Sjoerd, Kaspar en Harm vielen meteen af. Die deden altijd mee met die stomme zoenspelletjes. Aan dat soort types had ik niks. Ik moest iemand hebben die net als ik niet bij de populaire hoorde.

Ik dacht aan Wybe en Bart. Die hoorden daar niet bij, maar eigenlijk snapte ik wel waarom. Die twee mopperden op alles en iedereen. Moest je met Wybe of Bart een werkstuk maken, dan lag een slecht punt nóóit aan hen. Nee, dat schoot niet op. En toen dacht ik aan Dirk.

Dirk kende ik pas sinds de brugklas. Hij zat niet bij ons op de basisschool. Dirk wist dat Lotte me niet meer aankeek en dat ze sinds een tijdje bij de kliek van Patries hoorde. Hij maakte er geen vervelende grapjes over. Ook niet die keer dat ik bijna zat te huilen. Toen had hij juist een soort bemoedigend knikje gegeven. Dirk was geen meeloper. Je zag hem wel eens met Pjotr of Sander, maar vaak genoeg ook alleen. Hij zag er niet uit alsof hij dat een punt vond. Dirk was gewoon Dirk en dat wisten we allemaal. En verder, tja, als ik mocht kiezen, vond ik Dirk eigenlijk wel de leukste jongen van de klas. Hij was aardig, gewoon oké. Hij was slim, maar schepte daar nooit over op. Hij kon goed skateboarden. Als ik mocht kiezen... Wat als? Ik mocht kiezen! Ik had hulp nodig en ik ging Dirk om die hulp vragen. Hij was de beste. Mijn *idol*, zogezegd. Het zou wel eens kunnen dat ik niet de enige was die Dirk leuk vond, maar dat was niet verkeerd.

57

Ik twijfelde even of ik zou bellen. Ik besloot om naar hem toe te gaan. Onder vier ogen uitleggen was vast minder eng. Ik was bloednerveus, toen ik bij hem aanbelde. Als hij me maar niet zou uitlachen.

Dirk deed zelf open. Hij keek verrast.

'Dirk, ik eh... zit met een probleem,' zei ik hakkelend. Ik haalde diep adem. 'Ik heb hulp nodig en ik wil jou vragen of je mij misschien wilt helpen.'

'Ik wil je best helpen,' lachte Dirk, 'maar dan wil ik wel weten waar het over gaat. Kom maar binnen. Dat is wel zo gezellig.'

Dirk liep voor me uit naar de keuken. 'Cola?' vroeg hij. Ik knikte. We liepen de trap op naar zijn kamer. We ploften op zijn bed.

'Vertel,' zei Dirk. 'Volgens mij gaat het over Lotte en Patries.'

Weer knikte ik en toen brandde ik los. Ik vertelde Dirk alles. Hoe rot ik me had gevoeld en eigenlijk nog steeds voelde doordat Lotte mijn vriendin niet meer was. Hoe Patries me pestte, omdat ik niet mee wilde doen aan hun zoenspelletjes. En hoe ik zo stom was geweest te zeggen dat ik een vriendje had.

Dirk had de hele tijd geknikt, alsof hij het allemaal wel wist. Toen ik klaar was met mijn verhaal begon hij te lachen.

'Ja, ja. En nou kom je mij zeker vragen of ik verkering met je wil?'

'Ja,' zei ik.

Ik moest even slikken. Pffft, dat viel niet mee zeg! 'Nou ja, ik bedoel niet echt, alleen maar alsof. Wil je gewoon een dag net doen alsof wij op elkaar zijn? Daarna kunnen we het toch zogenaamd uitmaken?'

Ik was bang dat Dirk het een belachelijk plan zou vinden. Maar ik was zo blij om wat hij zei.

'Jammer dat je alleen maar voor de nep met me wilt gaan!' Dirk knipoogde erbij. 'Ik vind het een goede grap. Al dat gedoe met die groepjes hier, daar snap ik niks van. Op mijn oude school was dat helemaal niet. Daar deed iedereen tenminste normaal. Ik vond dat veel leuker.'

We spraken af dat we de volgende dag samen naar school zouden fietsen. Dirk zou me ophalen. Ook zouden we elkaar liefdesbriefjes sturen. We zouden er dan voor zorgen dat anderen die briefjes 'per ongeluk' zouden zien. Dirk zou er eentje heel opvallend op mijn tafeltje leggen. Ik zou er eentje bij de fietsenstalling lezen en daarna in mijn jaszak doen. We waren ervan overtuigd dat die briefjes gepikt zouden worden.

'Nog niet verklappen wat je me voor briefjes stuurt,' zei Dirk. 'Dan is het een verrassing voor me.'

Ik kreeg er steeds meer lol in. Dirk was echt tof!

'Schaam je je niet,' vroeg ik nog toen ik wegging, 'dat iedereen straks denkt dat wij op elkaar zijn?'

'Ben jij gek?' lachte Dirk. 'Dacht je dat ik me daar iets van aantrok? En om eerlijk te zijn, als er iemand is in de klas met wie ik zo'n geintje wel wil uithalen, dan ben jij het!'

De voorgaande weken had ik er steeds enorm tegen opgezien om naar school te gaan. Maar die dag kon ik bijna niet wachten tot Dirk aanbelde en we samen naar school gingen. Mijn moeder keek nogal verbaasd toen Dirk voor de deur stond. Toen ze weer binnen was en ons niet meer kon zien, gingen we hand in hand fietsen. Dat vonden we namelijk echter. Vervelend vond ik het trouwens helemaal niet.

Ik zag die vier meiden al van verre bij de ingang van de school staan. Zij zagen ons ook. Patries wees onze kant op. Dirk kneep in mijn hand. Patries wist niet wat ze moest zeggen, toen ze ons aan zag komen. Ze leek wel een schaap, zo dom keek ze.

Wat Dirk daarna deed, was super. Hij had een krijtje meegenomen en streepte bij alle harten op de muren de scheldwoorden door en veranderde die in 'Dirk'. Nee, onze liefdes-briefjes waren niet meer echt nodig geweest. Het was duide-lijk voor de hele klas. Iedereen wist het. Maar ik geloof dat Dirk en ik het allebei té leuk vonden om een liefdesbriefje te schrijven... *Ik vind je lief, Dirk.* Dat schreef ik. Ik zette er ook nog een hartje en drie kruisjes bij. Dirk schreef dit aan mij: *Heb je zin om morgen mee naar de manege te gaan? Ik vind jou de allerleukste.* Ik weet wel dat we het allemaal afgespro-ken hadden. Toch bloosde ik van zijn briefje.

Lotte zat de hele dag met een zuur gezicht naast me. Ze was jaloers. Zo goed kende ik haar wel. Ze had spijt, maar ik had geen medelijden met haar. Nog niet. Zij was de verraadster. Niet ik!

Na school fietsten Dirk en ik weer hand in hand weg.

'Ik wil je hartstikke bedanken,' zei ik. We waren vlak bij zijn huis en stonden naast onze fietsen. 'Het kon niet beter. Ze zijn er allemaal in getrapt. Niemand van die meiden heeft een vriendje. Ze waren hartstikke pissig.'

'Waren?' zei Dirk. 'We kunnen ze toch pissig laten blijven?'

Ik keek hem vast een beetje suffig aan, want Dirk begon te la-chen.

'Jíj gaat wel met mij voor de nep!' riep hij. 'Maar ik niet met jou! Ik vind jou echt leuk.'

Wat er toen gebeurde, weet ik niet meer precies. Ik denk dat ik suffig ben blijven kijken. Ik zei iets van: 'Ik jou ook, hoor.' En toen ineens had ik een zoen te pakken. Zomaar op mijn mond. En ik weet niet of ik het me verbeeldde of niet, maar volgens mij voelde ik even het puntje van Dirks tong. En ik vond het niet vies, maar juist leuk en spannend!

De liefdesbrief

Chris Vegter

Tegelijk duwen Diederick en Jasper de grote deuren naar het plein open.

'Leuk hè, die wiskundestagiaire?'

Jasper blijft staan en plant zijn handen in zijn zij. 'Vond jij háár leuk? Man, 't was net een heks met die zwarte kleren en die paarse lippen.'

'Nou ja, ze zag er wel een beetje gek uit, maar volgens mij is ze ontzettend aardig. Ze kan in elk geval wel goed uitleggen. Die opgaven over verzamelingen snapte ik meteen. En toen ze langs de groepjes liep, zei ze dat mijn eerste drie goed waren.'

'Ach, die had je ook foutloos gemaakt wanneer meneer Maartens ze had uitgelegd. Hartstikke simpel. Kom op, we gaan voetballen. Ruben en Melle staan er al.'

Verbaasd kijkt Diederick zijn vriend na. Die opgaven waren helemaal niet simpel. Bovendien weet Jasper best dat rekenen niet zijn sterkste kant is, daar had hij op de basisschool ook al moeite mee.

'Hé Diederick, kom je nou nog? Of blijf je daar staan tot de pauze voorbij is?'

Zonder na te denken sprint Diederick naar het veldje achter het fietsenhok. Jasper heeft gelijk, de pauze is meestal veel te kort. Even lekker met de andere jongens van 1a en 1b tegen een bal trappen is veel leuker dan wiskunde.

61

Het is warm en stil in de klas. Hier en daar klinkt gefluister en achter in het lokaal borrelt het water in de verwarmingsbuis. Diederick heeft zijn pen in zijn mond en leunt met zijn ellebogen op zijn tafel. Hoe zat het nou ook al weer met die verzamelingen? Gisteren leek het zo eenvoudig, maar nu snapt hij er werkelijk niets meer van. Diedericks ogen glijden naar het bord. Daar stonden de vorige keer de voorbeelden van de stagiaire, jammer dat meneer Maartens ze niet een dagje heeft laten staan.

'Snap je het niet meer?'

Betrapt draait Diederick zich om. Naast zijn tafel staat het meisje in haar zwarte kleren.

'Niet echt. Toen je ze gisteren uitlegde wel, maar nu ben ik het helemaal kwijt.'

'Zal ik er nog eentje voordoen?'

Diederick twijfelt. Eigenlijk lijkt hem dat best leuk, maar wat zal Jasper zeggen als hij het ziet? Jasper zei immers dat ze op een heks leek. Aarzelend neemt hij een besluit.

'Als je...eh, dat wilt doen, graag.'

De stagiaire zakt door haar knieën. 'Natuurlijk, ik vind het leuk om je te helpen.'

Diederick kijkt naar haar paarse lippen. Hij ruikt een lichtzoete geur. Zou ze parfum op hebben?

'Sorry, maar nu weet ik alleen je naam niet meer. Ik dacht dat ik alle namen wel zou kunnen onthouden, maar dat valt best tegen. Ik haal ze van 1a en 1b nu al door elkaar.'

'Diederick,' zegt Diederick zacht.

'O ja, nou weet ik het weer. Toen jullie je gisteren voorstelden, vond ik het al zo'n mooie naam. Past precies bij je. Ik dacht nog, die naam vergeet ik niet en dan gebeurt het toch. Stom, hè.'

Diedericks oren tintelen. Ze vindt zijn naam mooi en ze zegt dat die bij hem past. Bedoelt ze dat ze hem ook leuk vindt?

'Mij mag je trouwens wel Margot noemen, hoor. Dat mevrouwgedoe vind ik écht niet nodig. Ik zit nog maar net op de lerarenopleiding.'

Opnieuw kringelt de lichtzoete geur in Diedericks neus.

'Zullen we met deze beginnen?'

Margot wijst naar een opgave in Diedericks boek.

'Mij best.'

'Kijk, dit noemen we een verzameling.' Margots vinger glijdt over de bladzijde van het wiskundeboek. 'Een verzameling bestaat uit verschillende elementen. Die elementen hebben altijd iets gemeenschappelijks.'

Diederick kijkt naar Margots paarse nagels en luistert naar haar fluisterende stem. Heel rustig vertelt ze hem hoe hij de opgaven moet maken. Weer lijkt het heel eenvoudig. Gek dat wiskunde van het ene op het andere moment van moeilijk in makkelijk kan veranderen.

'Snap je het?'

Margot staat op, haar vingers rusten op Diedericks arm. Vijf paarse ovaaltjes die een stippellijntje vormen op zijn mouw.

'Ik denk het wel.'

'Of zullen we de rest ook samen doen?'

Diederick aarzelt. Eerlijk gezegd zou hij niets liever willen. Hij vindt het fijn om samen met Margot te werken. Ze ruikt zo lekker. Bovendien komt hij op deze manier gemakkelijk aan de goede antwoorden. Als het een beetje meezit, hoeft hij straks voor wiskunde geen huiswerk meer te maken.

Diederick draait zijn hoofd en kijkt in de richting van Jaspers groepje. Jasper zit onderuitgezakt op zijn stoel en heeft zijn schooltas op zijn knieën. Die is natuurlijk alweer klaar met zijn opdrachten en gaat nu lekker aan zijn andere huiswerk beginnen. In groep acht hoorde Jasper ook altijd bij de besten. Gelukkig is Melle, die tegenover Jasper zit, nog niet zover; met zijn tong uit zijn mond hangt hij over het wiskundeboek.

'Eh… graag.'
'Goed, dan pakken we de moeilijkste.'
Margot zakt weer op haar hurken. Zacht strijkt haar arm langs Diedericks heup en bovenbeen. Ze zit nog dichter bij hem dan eerst. De zoete geur in Diedericks neus wordt nog sterker, het lijkt een zwoel windje op een warme zomeravond. Zou dit de geur van paars zijn?

'Wat zat jij lang met die stagiaire te smoezen, zeg. Waar hadden jullie het eigenlijk over?' Jasper bindt zijn tas op zijn bagagedrager en trekt zijn fiets uit het rek.
'Ze hielp me met wiskunde.'
'Ja, ja, dat zal wel.'
'Echt, ik snapte de opdrachten niet meer.'
Jasper pakt zijn stuur beet en loodst zijn fiets tussen een groep grotere jongens door naar de stoep. 'Nou daar leek het anders niet op,' zegt hij en hij springt op zijn zadel.
'Hoe bedoel je?' vraagt Diederick, terwijl hij zijn been over zijn bagagedrager zwaait.
'Gewoon zoals ik het zeg. Het leek helemaal niet op uitleggen. Melle en ik hadden allebei het gevoel dat we naar een liefdesfilm zaten te kijken. Man, de manier waarop je naar haar lachte. Volgens ons ben je verliefd.'
De oren van Diederick worden rood. Het lijkt alsof ze in brand staan.
'Doe niet zo stom,' protesteert hij. 'We… we hadden het… over elementen en wat die gemeenschappelijk hebben.'
Over Jaspers gezicht glijdt een brede glimlach. 'Zo, hadden jullie het over gemeenschap?' vraagt hij.
Diedericks hoofd ontploft, hij heeft het gevoel dat de rode vlekken van zijn gezicht spatten.
'Ach, je moet niet zo belachelijk doen, Jasper Groefsema.'
Jasper begint nog uitbundiger te lachen. 'Moet je eens zien hoe

je nu reageert. Je hoofd is net een biet. Jongen, volgens mij ben je écht smoor op die stagiaire. Komt zeker door haar lekkere figuurtje.'

'Niet waar! Ze hielp me gewoon!'

Dubbel van het lachen hangt Jasper over zijn stuur. Bijna verliest hij de controle over zijn fiets.

'Hou op met dat debiele gelach.' Diederick slingert de woorden in Jaspers richting.

Maar Jasper begint steeds harder te lachen. Hij hinnikt als een op hol geslagen paard.

'Nou, dan bekijk je het maar!' schreeuwt Diederick. Hij gaat op zijn pedalen staan en sprint woedend bij Jasper vandaan.

Pas drie straten verder komt hij weer tot zichzelf. Hij gaat langzamer fietsen en kijkt achterom. Jasper is nergens meer te bekennen. Wat een rotstreek om te beweren dat hij verliefd is op Margot. Sinds ze in de brugklas van het Huygens College zitten, doet Jasper wel vaker zo irritant, vooral als het over meisjes en seks gaat.

Diederick trekt de rits van zijn jas omlaag en laat de frisse lucht langs zijn lijf stromen.

Hoe halen Jasper en Melle het in hun hoofd om dat over Margot en hem te zeggen? Hij vindt Margot heel aardig, maar ze is veel te oud voor hem. Zoiets kan toch helemaal niet?

Hoe oud zou ze trouwens zijn, achttien of negentien? Diederick krabt op zijn hoofd. Zelf is hij twaalf, over een paar weken wordt hij dertien. Nu hij er goed over nadenkt, verschillen ze niet eens zo veel, maar een jaar of vijf. Als Margot zesentwintig is, wordt hij eenentwintig. Eigenlijk kan dat best.

Op blote voeten lopen ze door het warme zand. Op sommige plekken staan kleine plasjes. Poeltjes vol lauw water.

'Ben je hier wel eens vaker geweest?'

Diederick kijkt opzij. Margots blote schouders steken fel af tegen de zwarte bandjes van haar topje. Ze lacht naar hem. Haar ogen zijn paarsblauw, ze glinsteren.

'Toen ik klein was, gingen we hier in de zomer vaak zwemmen. Mijn opa en oma waren er dan ook, dat vond ik altijd heel erg leuk.'

'Ik kwam hier als klein meisje ook regelmatig. Ik weet nog dat mijn broer een rubberboot kreeg. Daar mocht ik samen met hem en mijn vader in. We speelden dat we schipbreukelingen waren en voeren naar dat eilandje.'

Diederick volgt Margots vinger, haar paarse nagel wijst naar het midden van het meer. Er steken een paar bomen en bosjes uit het water.

'Kun je daar lopen?'

'Toen kon dat wel, er was een strandje met daarachter nog een grasveldje. Ik vond het geweldig, net een onbewoond eilandje.'

Diederick probeert zich voor te stellen hoe het er bij die bomen uitziet. Eigenlijk zou hij daar best even willen kijken.

'Ik heb de huiswerkopdrachten van 1b nagekeken.'

Verbaasd draait Diederick zijn hoofd. Margot heeft haar paarse lippen een beetje van elkaar. Daartussen schittert het wit van haar tanden. Het lijkt alsof ze op een heel speciale manier naar hem lacht.

'En ik moet zeggen dat jij het prima hebt gemaakt. Alle opgaven waren goed.'

Margot blijft staan, haar hand zoekt die van Diederick. Ze geeft hem een zacht kneepje.

'Je was de beste van de klas, nog beter dan Jasper, ik ben echt heel tevreden over je. Daarom vind ik dat je een bijzondere beloning verdient.'

Met een sierlijke beweging zwaait Margot haar lange zwarte haren over haar schouder en dan drukt ze een zoen op Diedericks mond.

Diederick wankelt, hij hapt naar adem, zijn lippen gloeien.
Margot pakt ook zijn andere hand en houdt hem stevig vast.
Het zand onder Diedericks voeten golft. Het is alsof hij op
wolkjes loopt. Als Margot hem nu los zou laten, zou hij heel
hoog de lucht in zweven.
'Mag ik je morgen weer helpen bij wiskunde?'
Met een klap belanden Diedericks blote voeten weer in het
zand. Hij trekt zijn handen los uit die van Margot. Heel lang-
zaam schudt hij zijn hoofd. 'Nee.'
'Waarom niet?'
Twee grote paarsblauwe ogen staren Diederick aan.
Hij aarzelt, zal hij Margot vertellen wat Jasper heeft gezegd?
'Eh… omdat een paar jongens uit onze klas denken dat ik ver-
liefd op je ben.'
Opnieuw zoekt Margot naar Diedericks handen.
'Maar dat is toch ook zo,' zegt ze zacht.
Diedericks mond voelt droog, hij heeft moeite met slikken.
'We zijn toch ook verliefd op elkaar,' fluistert Margot.
Rondom Diederick begint alles te draaien. Hij voelt de zon,
hoort het krijsen van de meeuwen en in zijn oren suist de wind
alsof hij in een achtbaan zit.
'Of wil je niet met me?' vraagt Margot.
Diederick likt langs zijn kurkdroge lippen.
'Jawel, maar…'
Margot laat zijn handen los. 'Nou dan,' roept ze vrolijk en ze
rent bij hem vandaan.
Onzeker kijkt Diederick haar na.
'Kom!' roept Margot, ze wenkt.
Met wiebelende knieën loopt Diederick naar haar toe.
'Wat ga je doen?' vraagt hij.
'Zwemmen, ik wil je meenemen naar het eilandje.'
Margot knoopt haar zwarte broek los.
Diederick durft nauwelijks te kijken.

'Maar ik… ik heb geen zwembroek bij me.'

'Ik ook niet,' lacht Margot, 'maar we schamen ons toch niet voor elkaar?' Ze pakt de zoom van haar topje en trekt het langzaam over haar hoofd.

Diederick voelt het bloed naar zijn wangen stromen, hij weet niet waar hij moet kijken. Vlug knijpt hij zijn ogen dicht.

Dan voelt hij een hand op zijn schouder. Zacht wordt hij heen en weer geschud.

'Diederick, Diederick.'

Voorzichtig opent Diederick zijn ogen. Naast zijn bed staat zijn moeder. Ze heeft haar nachthemd aan en haar haar zit in de war.

'Snel lieverd, pap en ik hebben ons verslapen, het is al twintig over acht.'

Bezweet schuift Diederick zijn fiets in het rek. Hij heeft geracet om toch nog op tijd te komen.

Nadat mam hem had gewekt, was hij direct onder de douche gesprongen. Daar kwamen er flarden van zijn droom terug. Wat echt had het allemaal geleken. Nog steeds heeft hij het gevoel dat hij samen met Margot langs het Wellingermeer heeft gelopen. En hij had gezien hoe ze haar topje uittrok. Opnieuw voelt Diederick dat er blossen op zijn wangen komen.

Onder het afdrogen had hij aan Jasper gedacht. Gistermiddag was hij kwaad bij hem weggereden omdat Jasper zo stom had gedaan. Na die tijd hadden ze geen contact meer gehad. Jasper had niet gebeld en zelf had hij ook niet de moeite genomen. Hoe zou Jasper vandaag tegen hem doen?

Na het aankleden had hij een boterham van de tafel gegrist en was op zijn fiets gesprongen. Pap en mam zouden ook te laat op hun werk komen. Daarom hadden ze beiden naar kantoor gebeld. Voor Diederick hoefde dat niet, hij woont dicht bij het Huygens College en zou hooguit een paar minuten te laat zijn.

Het eerste uur hebben ze wiskunde, dan kan hij het zelf wel aan meneer Maartens uitleggen.

Vlak voor de ingang veegt Diederick met zijn mouw langs zijn voorhoofd. De zweetdruppels laten natte strepen na op zijn jas. Hij opent de zware houten deur en loopt de hal binnen.

Daar hangt hij zijn jas in zijn kluisje en rent de trap op. Bij het wiskundelokaal op de eerste verdieping blijft hij staan en klopt aan. Als hij de klas binnenstapt, kijkt iedereen zijn kant op, behalve Margot.

'Ha, ben je daar toch nog?' vraagt meneer Maartens en hij legt de gradenboog op zijn bureau. 'Dan kan ik direct even met je praten. Margot, wil jij de les van me overnemen?'

Margot knikt, haar wangen zijn rood. De kleur vloekt bij het paars van haar lippen.

Diederick kijkt van Margot naar Jasper, die knipoogt alsof er gisteren niets tussen hen is voorgevallen. Naast Jasper zit Melle, hij friemelt aan de boord van zijn T-shirt en bestudeert de punten van zijn schoenen.

'Kom maar even met me mee.' Meneer Maartens legt zijn hand op Diedericks schouder en loodst hem de gang in.

'We kunnen dáár wel even zitten.' De docent wijst naar de werktafel langs de muur.

'Heb je enig idee waarom ik met je wil praten?'

Diederick trekt zijn schouders op. 'Omdat ik te laat ben?' vraagt hij.

Meneer Maartens schudt zijn hoofd. 'Nee, niet omdat je te laat bent.' De leraar steekt zijn hand in zijn zak en haalt er een brief uit. 'Ik wil graag weten of dit van jou komt.' Meneer Maartens strijkt de brief glad en legt hem voor Diederick op de tafel.

Diederick kijkt naar de geprinte letters op het lichtblauwe papier. De brief is gericht aan Margot. Nieuwsgierig begint hij te lezen. Na vijf regels slaan de vlammen uit zijn oren. Het is een lief-

69

desbrief; de afzender vraagt of Margot wil zoenen. Met rode konen leest Diederick verder. Er staat iets over vrijen en heel vaak 'ik hou van jou'. Helemaal onderaan ziet hij zijn eigen naam. Het gezicht van Diederick wordt knalrood. De kraag van zijn polo voelt nat van het zweet.

'Heb jij deze brief gestuurd?'

Diederick hapt naar lucht, heftig schudt hij zijn hoofd.

'Echt niet?'

'Nee, meneer.'

'Hij lag vanmorgen op mijn bureau. Ik heb hem zelf aan Margot gegeven. Toen ze hem had gelezen, was ze behoorlijk van slag. Het is natuurlijk ook niet niks wat erin staat.'

Diederick kijkt naar het gezicht van zijn docent. De blik van meneer Maartens is behoorlijk streng.

'Heb je een vermoeden wie het dán gedaan kan hebben?'

Diederick aarzelt. Moet hij vertellen van Jasper en Melle?

'Nee meneer, geen idee.'

'Oké, ik heb het gevoel dat je de waarheid spreekt. Maar je zult begrijpen dat ik wel graag wil achterhalen wie dit op zijn geweten heeft. Ik heb geen behoefte aan dit soort grappenmakerij tijdens mijn lessen. Zullen we afspreken dat we elkaar op de hoogte houden wanneer we iets horen?'

Diederick knikt, maar hij betwijfelt of hij het wel aan zijn docent zal vertellen als hij iets ontdekt.

'Had je je verslapen?'

Tijdens het wisselen van de lessen komt Jasper naast Diederick lopen.

'Ik heb op je gewacht bij het kruispunt, maar toen je zo laat was, ben ik doorgereden. Ik dacht eerst dat je misschien nog boos zou zijn om gisteren.'

Diederick zwaait zijn rugtas over zijn schouder en houdt de draagbanden met beide handen vast.

'Ja, sorry hoor, Diederick. Ik begrijp ook wel dat ik gister behoorlijk stom heb gedaan.'

'En heb jij daarom die brief nog maar even geschreven?'

'Hè? Brief? Waar heb je het over?'

'De brief aan Margot, de stagiaire.'

Aan Jaspers gezicht is heel duidelijk te zien dat hij niet begrijpt waar zijn vriend het over heeft. Diederick pakt hem bij zijn arm en trekt hem mee naar de werktafel in de gang. Daar vertelt hij Jasper over het gesprek met meneer Maartens.

'Wat een rotstreek. Nee, echt Diederick, ik ben je vriend, zoiets zou ik nooit doen.'

'Fijn dat je dat zegt, maar wie kan het dan zijn?'

De deur van het wiskundelokaal gaat open. Al pratend komen Margot en meneer Maartens naar buiten. Als Margot Diederick en Jasper ziet staan, komt ze naar hen toe. Ze kijkt Diederick aan en glimlacht.

'Meneer Maartens vertelde me net dat jij hebt gezegd dat de brief niet van jou afkomstig is,' zegt ze zacht. 'Daar ben ik heel blij om. Dat betekent gelukkig dat ik me niet in je heb vergist.' Even raken haar vingers zijn hand. Dan loopt ze terug naar het wiskundelokaal.

Diederick kijkt haar na, hij heeft het gevoel dat zijn gezicht op een stoplicht lijkt.

'Zou Melle er meer van weten?' fluistert Jasper.

Hij draait Diederick in de richting van de kapstok. Daar probeert Melle ongezien achter hen langs te glippen.

Diederick trekt zijn schouders op. 'Zou kunnen, maar op dit moment kan me dat even niets meer schelen.' Hij doet zijn ogen dicht en ziet Margot en zichzelf weer hand in hand langs het Wellingermeer lopen.

Een oud schrift

Jacques Vriens

Dinsdag 1 februari

Ik ben veertien en verliefd. Met niemand durf ik erover te praten. Daarom ga ik alles in dit oude schrift zetten. Ik ben verliefd op Merel.

Met een aantal leerlingen zijn we een toneelstuk aan het instuderen. Het zusje van Merel doet ook mee. Ze heet Roosje. Roosje is echt leuk. Zij speelt de huishoudster van een oude professor. Die professor ben ik. We repeteren iedere week onder leiding van meneer Kersemans. We noemen hem meestal de Kers, omdat hij zo'n rode neus heeft. Van de drank, denk ik. Als we 's avonds op school repeteren, ruikt de Kers meestal naar jenever.

Een tijdje geleden stonden Roos en ik achter het toneel te kletsen. Vlak voordat we op moesten komen. Ze vertelde iets over haar zus.

'Hoe heet ze?' vroeg ik.

'Merel,' zei Roos.

Ik schoot in de lach. 'Wat een stomme naam. Jullie ouders hebben het wel in de flora en fauna gezocht.' (Ik vond het heel interessant om dat zo te zeggen. We hebben het net gehad bij biologie. Het betekent: dieren en planten. Ik kan alleen nog steeds niet onthouden wat nou planten zijn en wat dieren.)

'Poeh,' antwoordde Roosje. 'Net of Sjaak zo'n mooie naam is.'

Achter in de zaal brulde de Kers: 'Hé, Róós en Sjáák, waar blijven jullie! Jullie moeten op!'

De volgende dag zag ik Merel voor het eerst. Ik zat met Roosje te praten op het muurtje bij de ingang van het schoolplein. Merel kwam bij ons zitten. Roosje vertelde haar dat ik de professor in het toneelstuk speelde. Merel deed heel enthousiast en zei: 'Volgens mijn zus speel je heel goed.'
Ik werd er verlegen van. Toen ik later naar huis fietste, moest ik steeds aan Merel denken. Vooral aan haar grote blauwe ogen.
De week daarop zag ik haar weer. Op dinsdag, na het vijfde uur. Ze zei me heel vrolijk gedag. Ik kreeg er een kleur van. De volgende dag heb ik Roosje een beetje zitten uithoren over Merel. Die had meteen in de gaten dat ik verliefd op Merel ben. Het eerste wat ze vroeg was: 'Nou vind je Merel zeker geen stomme naam meer?'
Verder is Roos heel aardig en ze houdt me trouw van alles op de hoogte. Door haar weet ik dat Merel me wel leuk vindt. Dat is nog niet veel, maar ik hoop dat ze me in ieder geval nog leuker gaat vinden. Alleen, ik weet niet wat ik daarvoor moet doen. Vanmorgen, na het vijfde uur, was het weer zover. Ze liep druk te kwekken met een vriendin en zag me niet.
Ik zei: 'Hoi Merel!'
Ze keek even op, glimlachte en zei: 'Dag.' Daarna kwekte ze weer verder.
Nou, dat was het dan. Daarvoor heb ik me het hele vijfde uur zenuwachtig zitten maken.

Donderdag 24 februari
Waarom kan ik dat kind niet uit mijn hoofd zetten? Ik ben dus verliefd. Dat is duidelijk. Maar ik vind het wel onrustig. Je hebt zo'n raar gevoel vanbinnen. Het gekke is dat ik het wel eens

73

eerder heb gehad. Alleen wist ik toen niet dat het verliefdheid was.

Ik zat in groep drie van de basisschool. Kun je nagaan! Wekenlang droomde ik van een meisje dat ik in een toneelstuk had gezien. Ze speelde Roodkapje. Ze had een lief, zacht gezicht en grote blauwe ogen. Net als Merel. Roodkapje en Merel lijken op vrouwen die je wel eens op middeleeuwse plaatjes ziet. In ons geschiedenisboek staat er ook een. Eronder staat: 'Op middeleeuwse schilderijen ziet men vaak vrouwen die een serene ingetogenheid uitstralen.' Ik ken die zin uit mijn hoofd. Wat het precies betekent, weet ik niet, maar als het zoiets is als: lief, zacht en mooi, dan ben ik het er in elk geval mee eens.

Roodkapje was dus ook zo. Ik droomde altijd dat we door het bos liepen. Na een tijdje hielden de dromen van Roodkapje op. Maar het idee dat het meisje met wie ik wilde trouwen net zo'n lief en zacht gezicht moest hebben als Roodkapje, raakte ik niet meer kwijt.

Merel heeft zo'n gezicht.

Vandaag heb ik haar niet gezien. Nu moet ik naar school. Toneelrepetitie.

Donderdagavond (tien uur)

Dit moet ik even kwijt. Zondag zie ik Merel! We gaan bij Roosje thuis repeteren. Dankzij de Kers.

De toneelrepetitie ging slecht. Niemand kende zijn tekst. De Kers was woedend. Hij dreigde: 'Als jullie volgende week je tekst niet kennen, stop ik met toneel.'

Na afloop stonden we voor school nog wat na te praten. We schaamden ons wel een beetje. De Kers heeft gelijk: over drie weken moeten we spelen, maar nog niemand kent echt goed zijn tekst. Leo, een jongen die ook bij het toneel zit, stelde voor zondag te repeteren. Zonder de Kers erbij. Iedereen zorgt

74

ervoor dat hij zondag zijn tekst onder de knie heeft. We nemen hem dan een paar keer achter elkaar door. Volgende week gaan we de Kers ermee verrassen.

Roosje zei toen dat het bij haar thuis kon. Nou maar hopen dat Merel erbij is.

Zaterdag 26 februari

Wat ik tot nu toe heb opgeschreven nog eens overgelezen. Eigenlijk heb ik gisteren besloten met dit schrift op te houden. Ik vind het soms erg kinderachtig.

Vandaag toch weer zin om te schrijven. Morgen zie ik Merel. (Hoop ik.) Ik heb nu al dat dinsdag-na-het-vijfde-uur-gevoel. Moet proberen heel gewoon te doen. Niet stotteren als ik haar zie en vooral niet rood worden. De hele toneelclub is er trouwens bij. Dat is best fijn.

Zondag 27 februari

Het was fijn en niet fijn. We hebben hard gerepeteerd. De Kers kan tevreden zijn. Maar wat ik hoopte, is niet gebeurd. Merel was niet bij de repetitie.

Ik wilde een beetje indruk op haar maken. Een beetje veel, als ik eerlijk ben. Iedereen zegt dat ik die oude professor goed speel. Merel heeft me nog nooit zien spelen en vanmiddag dus ook niet. Maar goed, straks bij de uitvoering is ze er zeker bij. Haar zus doet tenslotte mee.

Toch is er iets heel goeds gebeurd, vanmiddag. We repeteerden in de kamer van Roos. Ze wonen in een kast van een huis met heel grote kamers. Na het eerste bedrijf liep ik naar de gang om een pen uit mijn jaszak te halen. Ik bleef even in de gang staan en keek om me heen. Het barstte er van de deuren. Achter een van die deuren moest de kamer van Merel zijn. Ik pakte mijn pen en net toen ik terug wilde lopen, ging er een deur open. Ineens stond Merel voor me. Verslag van het gesprek:

Merel: 'Hoi, gaat het goed met toneel?'

Ik: 'Ja, hoor... (Ik word rood.) Ik moest even een pen uit mijn jas pakken.' (Meteen dacht ik: Wat doe ik weer stom. Net of dat haar iets interesseert.)

Merel: 'Jullie moeten algauw spelen, hè?'

Ik: 'Ja, nog drie weken, dan is het zover.'

Merel: 'Roos zegt steeds dat je echt hartstikke goed speelt. Ik ben benieuwd.'

Ik: (Jubel vanbinnen. Die lieve Roos. Zegt aardige dingen over mij.) 'Nou... ik hoop dat ik het goed doe. Je weet maar nooit.' (Stilte. Volgens mij hebben we elkaar wel een minuut staan aankijken. Koortsachtig zoek ik naar een onderwerp om over te praten. Ik kijk in haar kamer. Allemaal posters aan de muur en een bed met een bloemetjessprei.)

Ik: (aarzelend) 'Is dat je kamer?'

Merel: 'Ja.'

Ik: 'Ziet er gezellig uit.' (Ik bedoel eigenlijk: mag ik even binnenkomen.)

Merel: 'Je mag wel even binnenkomen.'

Het is een echte meidenkamer. Allemaal rommeltjes, frutsels en van die rieten stoeltjes, waar je opgevouwen in moet zitten. Ik zeg iets van 'gezellig' en 'leuk'. Dan wijs ik naar het bureautje, dat vol boeken ligt. 'Ben je aan het leren?'

'Ja, morgen een repetitie van juffrouw Doddel.'

Ik begin een heel verhaal op te hangen over Doddel. Ik heb het gevoel dat Merel maar half luistert. Ze kijkt naar buiten. Ineens onderbreekt ze mijn geklets over Doddel en fluistert: 'Kom eens gauw.'

Als ik naast haar sta, kijkt ze me stralend aan en wijst naar buiten. Vlak voor het raam, op de tak van een grote boom, zit een eekhoorn.

'Hij is er weer,' zegt ze. 'Ik heb hem een hele tijd niet gezien, maar nu is hij er weer.'

Samen volgen we de eekhoorn zwijgend. Het beestje scharrelt wat heen en weer en gaat zich dan uitgebreid zitten wassen. Voorzichtig kijk ik even opzij, naar Merel. Haar hele gezicht lacht. Wat heeft ze toch mooie grote blauwe ogen.

Plotseling horen we achter ons gegiechel. Roosje staat in de deuropening. 'Zo, zit je hier. In plaats van te repeteren sta je met mijn zus uit het raam te kijken. We wachten op je.'

'We kijken naar die eekhoorn,' zeg ik.

Spottend kijkt Roos me aan. 'O, jullie bestuderen de flora en de fauna. En, is het interessant?'

Ik loop de kamer uit. Als ik langs Roos kom, zeg ik nadrukkelijk: 'Hartstikke interessant!'

Bij de deur draai ik me om. 'Dag Merel, je hebt een leuke kamer.'

Merel kijkt me heel lief aan en zegt vriendelijk gedag.

Als we bij de anderen komen, houdt Roos gelukkig haar mond. Einde verslag.

Stom eigenlijk dat ik niet veel meer heb gezegd. We keken alleen naar die eekhoorn. Waarom durf je niet op zo'n moment? Ik denk omdat ik bang ben een flater te slaan. Misschien vindt ze het wel belachelijk als ik gewoon zeg dat ik haar lief vind. Ik ben wel op haar, maar ik weet nog steeds niet of zij op mij is. Vroeger, op de basisschool, vroeg je dat gewoon. Nu durf je dat niet meer. Verliefd zijn wordt steeds moeilijker.

Dinsdag 1 maart

Ik voel me waardeloos. Naadje pet. Rot. Belabberd. Ik weet het niet meer.

Goed, ze heeft na het vijfde uur heel enthousiast tegen me gedaan. Tjerk, die naast me liep, viel het zelfs op. Hij zei: 'Dat kind schijnt jou wel leuk te vinden. Ze doet zo lief.'

Ik deed net of het heel gewoon was.

Vanmiddag, toen ik uit school kwam, was het helemaal mis. Ze zat op het muurtje bij de uitgang te kletsen met Leo. Die zit al in de vijfde en zorgt voor het licht en het geluid bij de toneelvoorstellingen. Hij is populair bij de meiden. Een soort filmsterfiguur. Zwarte krullenkop, geen bril en geen pukkels. Met hem praatte Merel. Ze hadden ontzettende lol. Merel zag me niet eens toen ik langskwam. Ik had niet de moed iets te zeggen. Alle meiden zijn gemeen.

Zondag 13 maart

Een hele tijd niets meer opgeschreven. We hebben een berg huiswerk gehad en hard gerepeteerd voor toneel. Vrijdag is de eerste voorstelling.

Af en toe Merel gezien. Ze was steeds met vriendinnen. Haar één keer alleen gesproken. Ze zat op het stoepje voor de uitgang van de school. Ik kwam net naar buiten. Natuurlijk wist ik weer niet wat ik zeggen moest. In gedachten had ik dit gesprek al honderd keer gevoerd. Eindeloos zitten denken wat ik allemaal zou zeggen als ik haar weer eens alleen zou zien. Zoals toen op haar kamer. Wat ik allemaal bedacht heb:

– Merel, ik vond het toen heel leuk bij je. (Dat zou ik vrolijk zeggen.)

– Hoe is het met die repetitie Frans afgelopen? (Heel belangstellend.)

– Merel, ik denk heel vaak aan je. (Zacht.)

– Hoi Merel, hoe is het met onze eekhoorn? (Langs mijn neus weg.)

– Ik weet een bos waar het stikt van de eekhoorns. Heb je zin een keer mee te gaan? (Hoe ik dat zou zeggen, wist ik nog niet.)

Maar dat heb ik allemaal niet gezegd. Ik zei: 'Lekker weertje, vind je niet?'

Merel antwoordde: 'Ja, lekker, dat zonnetje.' Einde gesprek.

Ik kan mezelf wel voor mijn kop slaan. Als je verliefd op iemand bent, zeg je nooit precies wat je bedoelt. Ik ben wel blij dat ik dat van het eekhoornbos niet gezegd heb. Zou niet weten waar zo'n bos is.

Woensdag 16 maart
Merel is ziek. Ze is al een paar dagen niet op school. Roos zei dat ze misschien niet eens naar het toneelstuk mag komen kijken. Dat zou waardeloos zijn. Zal ik haar opzoeken met een bloemetje? Ik durf wel, ik durf niet, ik durf wel, ik durf niet, ik durf wel, ik durf niet.

Donderdagavond 17 maart
Het is niet te geloven: ik ben op ziekenbezoek geweest. Echt waar!
Het was wel een beetje een raar bezoek, maar ik heb het toch gedaan. Op de fiets erheen was ik heel overmoedig. Ik dacht: Wat een onzin om haar niet op te zoeken. Als je ziek bent, vind je het juist fijn als er iemand komt. Oké, misschien zal ze een beetje gek opkijken, maar ik mag toch best laten merken dat ik haar lief vind. Ik durf het dan wel niet direct te zeggen, maar iemand opzoeken met een bloemetje is ook niet niks.
Toen ik bij haar voor de deur stond, zakte alle moed in mijn schoenen. Ik begon te zweten, kneep de stengels van de bloemen bijna fijn en wilde rechtsomkeert maken.
Nu heb ik de gewoonte mezelf op dit soort benauwde momenten op vrolijke toon moed in te spreken. Op de stoep bij Merel begon ik ook opgewekt tegen mezelf te praten. 'Kom op, jongen, je hebt die bloemen niet voor niets gekocht. Ze vindt het schitterend. Als ze van eekhoorns houdt, dan vast ook van bloemen. Ze ligt al dagen eenzaam in bed en ze is blij eindelijk iemand te zien. Vooruit, druk op die bel! Nou ja, als je het nou echt heel moeilijk vindt, kun je ook gewoon de bloemen

afgeven en vragen of ze haar de groeten doen. Maar ach, nu je toch eenmaal hier bent, kun je net zo goed...'

De toespraak tot mezelf werd onderbroken door gegiechel achter de deur. Er stond iemand te luisteren. Ik raakte helemaal in paniek, staarde met grote ogen naar de deur en drukte van de zenuwen op de bel.

Meteen zwaaide de deur open en daar stond Roos. Met een brede grijns op haar gezicht vroeg ze: 'Wat sta je toch te mompelen op de stoep?'

Voor mijn gevoel liep het zweet nu met liters langs mijn gezicht en werd ik knalrood. Ik stamelde: 'Is Merel thuis?'

Roos deed een stap opzij en nodigde mij met een zwierig gebaar uit binnen te komen. Ik keek de gang in. Halverwege de gang stond Merel in een lange blauwe ochtendjas.

'Aha, daar is onze zieke!' riep ik met overslaande stem. Ik wilde naar binnen stappen, bleef even achter de drempel hangen en liep struikelend de gang in. Vlak voor Merel kwam ik tot stilstand, ik stak de bos bloemen naar voren en zei met een diepe zucht: 'Alsjeblieft, voor jou.' Het allerliefst was ik daarna hard weggelopen.

Die twee meiden stonden te gieren van het lachen. Krampachtig probeerde ik mee te lachen. Merel was gelukkig de eerste die ophield. Ze nam de bloemen aan en zei: 'Wat gezellig om me even op te zoeken. Let maar niet op mijn zus. Als die de slappe lach heeft, is ze afschuwelijk.'

Merel, wat ben ik je dankbaar voor die opmerking. Je begreep vast hoe ongelukkig ik me voelde door dat onhandige gedoe.

Toen ik wegging, gaf ze me een hand en lachte heel lief. Zondag mag ze voor het eerst naar buiten en komt ze kijken.

Ik ben blij dat ik toch gegaan ben. Roos zal me wel weer dagenlang pesten met die struikelpartij. Als ze het maar niet gaat rondbazuinen, dan vind ik het allang best. Misschien dat ik

Merel toch een keer vraag mee te gaan wandelen. Ik zal dan naast haar lopen en zeggen waarom ik haar zo lief vind.

Zaterdagmiddag 19 maart
Een knallende ruzie met mijn vader gehad. Dat hoort niet in dit schrift, want het heeft niks met Merel te maken. Of toch?
Vanmiddag kwam ik met een rothumeur thuis. We hebben vanmorgen op school alles voorbereid voor de voorstelling van vanavond. Toen we klaar waren en nog wat zaten te kletsen, kwam Leo binnen. Hij was bij Merel geweest: op ziekenbezoek.
Met een knipoog zei hij tegen mij: 'Mooie bloemen heb je haar gebracht. Ze staan er nog goed bij.'
Iedereen hoorde het en er werden de nodige grappen over gemaakt. Gelukkig gingen die niet alleen over mij, maar ook over Leo. Ze vroegen hem of hij ook bloemetjes had gebracht. 'Nee, hoor,' antwoordde hij. 'Ik was toevallig in de buurt en dacht: kom, ik zoek Mereltje eens op.'
Ja, ja, toevallig in de buurt.
In elk geval wist ik niet hoe ik kijken moest. De hele toneelclub weet het nu. Natuurlijk werd er ook meteen gevraagd of ik op Merel ben. Ik haalde mijn schouders op en zei: 'Ach.' Iedereen zat te gniffelen, maar gelukkig kwam de Kers met de krant binnen. Er stond een stukje in over onze voorstelling van gisteravond. Die was trouwens prima. De mensen in de zaal hebben veel gelachen en ze vonden dat we goed speelden.
Na gisteravond voelde ik me heel tevreden, maar na vanmorgen niet meer. Waarom kan je hele gevoel beïnvloed worden? Ik moet me er gewoon niks van aantrekken. Al gaat Leo tien keer bij haar op bezoek. Als ze die jongen leuker vindt, dan moet ze hem maar nemen. Hij krijgt toch alle meiden die hij wil.
Door die stomme Leo kwam ik dus met een rothumeur thuis. Het eerste dat mijn vader zei, was: 'Nou je zo braaf op school

hebt opgeruimd, kun je ook eindelijk wel eens je kamer uit-mesten.'

Ik dacht dat ik ontplofte. Ik stampte woedend de kamer uit en gooide zo hard ik kon de deur dicht. Daardoor viel er een vaas van de kast. Ik moest terugkomen en opruimen. Nu zit ik op mijn kamer en ik mag er pas af als ik die opgeruimd heb. Ze snappen er niks van. In plaats van te vragen waarom je zo'n bui hebt, beginnen ze te zeuren over kamers opruimen. Nou ja, laat maar. Stelletje zeikouders.

Zondagnacht 20 maart

Ik ben helemaal door het dolle heen! De hele wereld is voor mij vuurwerk met alle kleuren van de regenboog. Ik heb een zoen gehad van Merel. Eén? Welnee, drie! Op iedere wang een zoen en een op mijn mond. Het ging zo. Na de toneel-voorstelling gingen we met zijn allen naar de kantine van de school. Er werd muziek gedraaid en gedanst. Alle toneelspe-lers waren er met hun vrienden en familie. Roos had Merel meegenomen. Ze kwamen samen naast me zitten en Merel begon me allerlei complimenten te maken. 'Je speelde heel goed. Ik heb vreselijk om je gelachen.'

Ze zag aan me dat ik niet goed wist hoe ik kijken moest.

'Word je nou verlegen?'

'Een beetje.'

Allerlei gedachten flitsten door mijn hoofd. Ze heeft om mij gelachen en nou eens niet om de grappen van Leo. Ze komt bij me zitten, dus vindt ze me vast heel aardig. Zal ik vragen of ze met me wil dansen? Waarom niet? Ik vroeg het en ze zei ja.

Op dat moment stapte Leo op ons af. Hij pakte Merel bij de hand en zei: 'Kom op, Mereltje, laten we even lekker swingen.'

Ze trok haar hand terug en antwoordde: 'Straks misschien. Ik dans eerst met hem.'

Verbaasd keek Leo mij aan. Ik zag even een gemeen lachje om zijn mond en toen zei hij poeslief: 'Natuurlijk, Mereltje. Zo'n goeie toneelspeler kun je niet laten wachten.' Hij draaide zich om en liep weg.

Merel en ik dansten. Daarna haalde ik voor ons een flesje en zaten we een hele tijd te kletsen. Het was voor het eerst dat ik zo lang met haar praatte. Over toneel, de eekhoorn, school en de leraren. Ze praatte veel en ik vond het heerlijk naar haar te luisteren. We werden onderbroken door Leo, die haar kwam halen om te dansen.

Roosje kwam naast me zitten en zei: 'Ik geloof dat Merel aardig onder de indruk is van je. Ze zei dat ze niet had gedacht dat je zo goed kon spelen.'

Ik grinnikte een beetje en hield vanuit mijn ooghoeken de dansvloer in de gaten. Leo swingde met haar dat het een lieve lust was. Dat kon hij dus ook al goed.

Helemaal uitgelaten kwam Merel bij ons terug. Leo draafde met een flesje achter haar aan en kwam bij ons zitten.

Roosje knipoogde naar mij en zei tegen Leo: 'Nou wil ik een keertje met je dansen. Je kunt het zo goed.'

Leo had er duidelijk geen zin in, maar hij liet zich toch mee-tronen naar de dansvloer. Na het volgende plaatje klom de Kers op een tafel en hield een toespraak. We klapten allemaal heel hard voor de Kers. Iemand riep: 'Laatste plaatje.'

Ik zag Leo op Merel afstevenen, maar ik was hem net voor. Het laatste plaatje was voor mij.

We dansten. Vergeleken bij Leo ben ik een hark, maar Merel deed enthousiast mee en bleef me met stralende ogen aankijken.

De muziek stopte, ik haalde diep adem en vroeg: 'Mag ik je naar huis brengen?'

Ze knikte: 'Natuurlijk, gezellig.'

Heel rustig reden we naar haar huis. Veel zeiden we niet tegen elkaar, maar dat was niet nodig. Af en toe keek ik naar haar en dan glimlachte ze.

Dat rare opgewonden gevoel was verdwenen. Ik voelde me heel rustig en was trots op mezelf.

Niet Leo fietste hier, maar ik.

Bij haar huis stapten we af. Ik werd best weer aardig zenuwachtig. Het ging ineens heel snel. Ik stamelde iets van: 'Bedankt voor de leuke avond.'

Merel lachte: 'Ik moet jou bedanken. Ook voor het thuisbrengen.' We keken elkaar aan.

Ik stond van het ene been op het andere te wippen. Nu zou er dus een zoen moeten komen, maar ik deed niks, hield mijn mond en keek alleen maar.

Ineens was haar gezicht vlak bij het mijne. Ik kreeg drie zoenen. Een op iedere wang en een op mijn mond. Die duurde het langst. Ze drukte een paar keer heel lief haar lippen op mijn mond. Het was of ik werd opgetild.

Toen ik mijn ogen opendeed, was ze weg. Even bleef ik beduusd staan. Gek eigenlijk. Zo'n zoen is niks bijzonders, maar toch, omdat hij van Merel is, wordt het iets bijzonders. Ik ben op mijn fiets gestapt en keihard naar huis gereden. Wat is het toch heerlijk om verliefd te zijn!

Maandag 21 maart

De hele dag aan haar gedacht. Lieve Merel, van jou kreeg ik mijn eerste zoen. Nou ja, een echte zoen zoals je die op de film ziet, was het (nog) niet. Ik dacht altijd dat de jongen degene was die ermee begon, maar ik deed niks. Ik stond alleen maar zenuwachtig te zijn. Voor ik het wist, was ze weg.

Stom dat ik zo verlegen ben. Gaat wel over als ik nog wat meer met haar gepraat heb. Komende zaterdag: nieuwe kans! Er is een schoolfeest. Merel zal ook komen.

Merel, wat hou ik van je.

Dinsdag 22 maart
Haar heel even gezien. Ze riep me vrolijk gedag. Ik dacht er eerst nog over haar op te bellen, maar ik kan geen enkele reden bedenken om haar te bellen. Ik wil gewoon met haar praten en hoop dat ze wat liefs zegt. Nee, ik bel toch maar niet.

Donderdag 24 maart
Ik voel me hartstikke onzeker. Is het allemaal wel zo mooi als ik me voorstel? Denkt ze net zoveel aan mij als ik aan haar? Goed, die zoenen heb ik gekregen, maar misschien doet ze dat wel altijd. Jammer dat er geen toneel meer is. Ik zie Roos nu ook niet meer. Afwachten maar tot zaterdag op het schoolfeest. Leo zal er ook wel zijn.

Vrijdag 25 maart
Alles is weer goed! Ik kwam uit school en zij stond met een vriendin te praten. Ze kwam meteen naar me toe en vroeg: 'Kom je morgen ook?'
'Natuurlijk,' zei ik.
Ze knipoogde naar me en zei: 'Gezellig. Tot morgen dan.' Toen fietste ze weg.
Gek, zo'n knipoog verwachtte ik niet. Volgens mij doen meisjes als Merel zoiets niet. Waarom ik dat vind, snap ik ook niet van mezelf. Misschien omdat je het niet verwacht van die vrouwen op middeleeuwse schilderijen, dus ook niet van Merel. Ze bedoelde het vast juist heel goed, omdat we samen een geheimpje hebben. Ik verlang naar morgenavond.

Zaterdagnacht 26 maart
Ik heb zitten janken.
Merel is helemaal niet op mij. Ze vindt me lief, aardig, leuk, maar ze is niet op mij.

Stom kind.

Lieve Merel.

Vanavond na het schoolfeest ben ik het te weten gekomen. Een rotavond.

Het begon zo goed. We hebben gedanst en gepraat. Natuurlijk zat Leo weer achter haar aan. Hij sloofde zich ontzettend uit onder het dansen, maar ik danste veel meer met haar. Halverwege de avond spraken we af dat ik haar weer naar huis zou brengen. Het leek allemaal nog beter te worden dan vorige week. We dansten heel uitgelaten en haar grote blauwe ogen straalden.

Tegen het einde van de avond kwam Leo haar weer halen. Hij vroeg met een slijmerig lachje 'of hij ook nog even mocht'.

'Natuurlijk,' zei ik dapper. Ik wist dat ik haar naar huis mocht brengen. Mij kon niets gebeuren.

Ik verloor Merel en Leo uit het oog. Ze verdwenen tussen de dansende mensen. De Kers kwam bij me zitten en begon over een nieuw toneelstuk dat hij aan het zoeken was. Na een kwartier begon ik onrustig te worden. Merel was nog niet terug. De Kers ratelde maar door en ik deed mijn best geïnteresseerd te luisteren. Het liefst was ik opgestaan om Merel te zoeken tussen de krioelende mensen. Eindelijk liet de Kers me met rust.

Merel was nergens te bekennen. Ik kwam Roosje tegen en vroeg waar Merel was. Ze haalde de schouders op en zei niks. We stonden elkaar een tijdje aan te staren.

Ik moet vast heel hulpeloos gekeken hebben. Ze zei ineens: 'Trek het je maar niet aan.'

Ik schrok: 'Wat bedoel je?'

'Ach,' zei Roos, 'ze is met die stomme Leo mee.' Het was net of bij mij alles vanbinnen werd dichtgeknepen. 'Maar ze had beloofd...' Verder kwam ik niet. Ik draaide me om en liep de kantine uit.

Eerst heb ik een hele tijd buiten op het muurtje gezeten. Ik begreep het niet. Het was zo goed allemaal. Ik pakte mijn fiets en wilde naar huis gaan.

Ineens werd ik kwaad. Als een idioot begon ik in de richting van haar huis te fietsen. Buiten adem kwam ik daar aan. Er was niemand. Ik stapte af en bleef voor de deur wachten. Ik was boos, verdrietig en voelde me rot. Langzamerhand voelde ik me wat rustiger worden. Net begon ik me af te vragen wat ik daar eigenlijk deed, toen ik Merel in de verte zag aankomen. Alleen. Ze schrok.

We zeiden een hele tijd niks. Ik had wel duizend vragen willen stellen, maar ik kon geen woord uitbrengen.

Merel vroeg: 'Sta je hier al lang?'

Ik kreeg weer een beetje moed en zei: 'Ik dacht dat ik je naar huis mocht brengen?'

Ze keek me aan met die grote ogen. 'Ik weet het niet. Ik had geen zin.'

'Nee, niet in mij,' flapte ik eruit, 'maar wel in Leo.'

Ze kwam vlak voor me staan en zei heel rustig: 'Ja, ik had zin in Leo. Ik wilde eens flink gezoend worden door een jongen met ervaring. Ik wil ook wel eens weten hoe dat is. Zo, nou weet je het. Je hebt er trouwens niks mee te maken.'

Ik raakte helemaal in de war en mompelde: 'Ik dacht dat je, nou ja... dat je...'

Ze schudde het hoofd. 'Je bent hartstikke aardig en toen op die toneelavond was ik best een beetje verliefd op je, maar nou niet meer.'

Ik wist niet waar ik kijken moest. Merel pakte mijn hand. 'Sorry, ik wilde echt niet rot tegen je doen, maar ik wilde met Leo mee. Jij bent nog zo onervaren.'

Ze had gelijk. 'Net als ik,' zei Merel. 'Weet je, Leo kan goed zoenen, maar verder vind ik het een vervelende jongen. Toen we uitgezoend waren, heb ik gezegd dat ik alleen naar huis

wilde. Hij was heel teleurgesteld. Ik heb hem nog nooit zo be-
teuterd zien kijken.'

Ik schoot in de lach.

Merel gaf me een zoen op iedere wang. 'Bedankt voor het
thuisbrengen.' Toen verdween ze naar binnen.

Ik fietste naar huis en ben meteen in dit schrift gaan schrijven.
Eigenlijk is Merel heel eerlijk tegen me geweest. Ik voel me rot,
want ze is niet op me, maar eerlijk is ze wel. Zo, nu ga ik proberen haar een beetje te vergeten. Dat zal wel moeilijk zijn.

Dag lieve Merel. De rest van dit schrift schrijf ik niet meer vol.
Of er moet een dag komen dat je wél verliefd op me wordt.

De verzoening

Klaas Bond

'Wat ben je toch vrolijk vandaag. Heb je een uitnodiging voor het verjaardagsfeestje van Orlando Bloom gekregen of zo?'
Bij wijze van antwoord kreeg Stephanie van haar vriendin een mysterieus glimlachje.
Renate deed nog een pirouette voor de passpiegel, zakte door haar knieën en maakte tegelijkertijd pompende bewegingen met haar armen, terwijl haar lippen de tekst mimeden van het nummer dat ze blijkbaar in haar hoofd hoorde. Uiteindelijk veerde ze weer rechtop en streek het T-shirt glad dat ze net had aangetrokken. 'Nou, hoe vind je het?'
'Die broek is cool, maar dat shirt is een tikkeltje...'
Renate keek via de spiegel naar Stephanie. 'Een tikkeltje wat?'
'Een tikkeltje... borstig, zoals mijn moeder dat noemt.'
Het scheve glimlachje op Stephanies gezicht ontging Renate niet. 'En als je nauwelijks borsten hebt, is dat helemáál geen gezicht, bedoel je dat?' Ze wierp Stephanie een uitdagende blik toe en wachtte op antwoord.
'Nee hoor, ik vind gewoon dat...'
Terwijl Stephanie in haar hoofd naar de rest van de zin zocht, zag Renate het bloed naar haar gezicht schieten. 'Je bedoelt: als ik net zoveel als jij zou hebben gehad, zou het wél kunnen,' deed ze er nog een schepje bovenop.

Onwillekeurig sloeg Stephanie haar armen kruislings voor haar bovenlichaam. 'Waar heb je het over?'

Door de schaterlach die erop volgde, kreeg ze in de gaten dat Renate weer een van haar toneelstukjes had opgevoerd. Quasi-boos pakte ze de polsen van haar vriendin vast. 'Dat zijn tien strafpunten, zus. Plus een pak slaag als bonus.'

Na een kort partijtje vrij worstelen trok Renate zich los en zei, opeens serieus: 'Maar je hebt gelijk, hoor. En wie niet borstig is, moet slim zijn.' Ze liep het pashokje binnen waarin ze zonet haar nieuwe kleren had aangetrokken en keerde terug met haar handtasje, waaruit ze iets tevoorschijn haalde dat Stephanie in eerste instantie deed denken aan twee op elkaar gestapelde kwalletjes zoals ze die wel eens op een zomerdag op het strand had aangetroffen.

Het woord 'getver' ontsnapte aan haar lippen voordat tot haar doordrong wat haar vriendin in haar hand hield.

'Neptieten.' Renate keek grinnikend naar de twee trilpuddinkjes. 'In mijn moeders kast gevonden, toen ik op zoek was naar mijn zoekgeraakte bh'tje. En ik altijd maar denken dat mijn moeder met een filmsterrenboezem geboren was.'

Stephanie legde haar vingers op het vleeskleurige heuveltje op Renates hand. 'Zacht spul. Zal best lekker zitten.'

'Ja, en bovendien niet van echt te onderscheiden.' Renate schoof de twee hulpstukken onder haar T-shirt op hun plaats, rechtte haar rug en zette haar handen in haar zij. Stephanie deed een paar passen achteruit en bekeek het nieuwe boven-lichaam van haar vriendin. Met die paar maten erbij was Re-nate veranderd in een meid die als een draaikolk de blikken van alle jongens ging opslokken.

'Nou? Waarom zeg je niets?

'Het is eh...'

'Een tikkeltje borstig misschien?' Renate lachte ondeugend.

'Ja, hoewel... Geen tíkkeltje, hoor.'

'Mooi. Dan weet ik in ieder geval zeker dat-ie kijkt.'

'Wie?'

Renate spreidde haar benen en begon aan een imitatie van een videoclip van J.Lo, compleet met ingehouden zang en parmantige pasjes. Stephanie keek bewonderend toe nu haar vriendin de dansbewegingen van de Amerikaanse zangeres bijna perfecte nabootste, totdat een nogal scherpe stem daar opeens een eind aan maakte. 'Zo dames, keus gemaakt?' Het was de verkoopster.

Van schrik maakte Renate een misstap; ze ging onderuit en belandde met haar achterste in een bak met plastic varens.

'Zo te zien bevallen die broek en dat shirt je wel,' vervolgde de verkoopster, 'zullen we ze even gaan afrekenen?' Ze probeerde haar ongeduld wat af te zwakken met een vriendelijk gezicht, maar dat maakte het alleen maar erger.

'Ja, dat lijkt me een goed idee,' zei Renate, waarna ze eraan toevoegde: 'Of die broek en dat shirt me nou bevallen of niet.'

Op weg naar de kassa nam Renate het snelle loopje van de verkoopster over en ze knipoogde naar Stephanie, die met een rood aangelopen gezicht volgde.

Buiten barstten de lachbuien los. Stephanie imiteerde de gezichtsuitdrukking van Renate nadat ze tussen de varens was beland en Renate deed nog eens het typische loopje van de verkoopster na. Hikkend zochten ze steun bij elkaar op een bankje in de overvolle winkelstraat, terwijl ze verbaasd werden aangestaard door passerend publiek.

'Ik kom nóóóit meer in die heksenwinkel, dat zweer ik,' verklaarde Renate plechtig.

Stephanie liet haar laatste lachexplosie uitwoeden en wuifde zich met een wapperende hand wat zuurstof toe. 'Poeh, stop alsjeblieft. Meer kan ik vandaag echt niet hebben.' Ze draaide haar hoofd naar haar vriendin. 'Je hebt mijn vraag trouwens nog niet beantwoord. Wie moet er per se naar je kijken?'

91

Renate keek terug. 'Lucas.'

'Lucas? Bedoel je... Alux?'

'Ja.'

'Waarom?'

Renate draaide met haar ogen 'Waarom denk je, dommie?'

'Ik... Ik denk helemaal niks,' antwoordde Stephanie.

Renate bracht haar gezicht vlak bij dat van haar vriendin en zei langzaam, alsof ze het tegen een kind had dat bijzonder traag van begrip was: 'Weet je nog wat we elkaar op oudejaarsavond hebben beloofd?'

Geen reactie.

'Onze eerste tongzoen. Dit jaar. Plechtig gezworen. Bij het knallende vuurwerk.' Renate leunde achterover, trok een wenkbrauw op en keek Stephanie onderzoekend aan. 'Als je dat bent vergeten, gaan we nú naar de gekkendokter, ja?'

Stephanie glimlachte flauwtjes. 'Nee, natuurlijk weet ik dat nog, maar...'

'Maar *wat*?'

'Nou, gewoon.' Stephanie haalde een schouder op. 'Waarom hij?'

'*Waarom hij*? vraagt ze.' Renate rolde nog eens met haar ogen. 'Omdat hij toevallig het stoerste superstuk van de school is. En de eerste kus kun je maar één keer doen, weet je wel. En ik wil dat die eerste, enige, unieke zoen er een wordt om nooit meer te vergeten. Dáárom. Tevreden?' Zuchtend sloeg ze haar armen over elkaar en voegde eraan toe: 'Maar bedankt voor je enthousiasme.'

'En wanneer wou je dat doen?'

'Vrijdagavond op het schoolfeest. Of beter gezegd: ergens náást het schoolfeest, in het fietsenhok of zo. In ieder geval niet met iedereen erbij.'

'Vandaar die neptieten. Om hem te lokken.'

'Slimme meid.'

'Maar daar trapt Luc... Alux niet in, hoor.'

'En waarom dan wel niet?'

'Die heeft zoveel ervaring met meisjes, die ziet dat meteen.'

'Ik kan het toch probéren. Niet geschoten is altijd mis, zegt mijn moeder. En naar mijn moeder moest ik altijd luisteren, heb ik geleerd.'

'Ja, maar...'

'Alweer dat gemaar. Dus ik moet het níét doen, volgens jou?'

'Ehh...'

Renate kon haar irritatie niet langer onderdrukken en porde met haar elleboog hard tegen Stephanies bovenarm.

'Au!'

'Net goed! Hoor je jezelf wel praten?' Ze zwaaide wild met haar wijsvinger voor Stephanies gezicht heen en weer om te controleren of die wel helemaal bij bewustzijn was. 'Ik ben het hoor, Renate, je beste vriendin, *your sister in crime*, weet je nog? Is er wat? Heb ik iets verkeerds gezegd?' Ze ving Stephanies blik en hield die tien tellen vast, op zoek naar een antwoord. Toen vond ze het: 'Zeg... Ben jij soms jaloers?'

Was ze jaloers?

'Eva speelt jullie aan, je *passt* de bal strak naar mij, dan ren je naar de overkant van de zaal, je tikt de muur aan, sprint terug en je sluit je weer aan bij je eigen rij, oké? Eva en Renate doen het voor.'

Jaloers om een jongen... Dat kwam voor in de sprookjes die haar moeder haar vroeger had voorgelezen voor het naar bed gaan, en tegenwoordig in die zogenaamde 'waargebeurde' verhalen op tv waar ze wel eens naar keek, meestal samen met Renate, met een zak chips tussen hen in. 'Jaloers' was iets voor boeken en films, toch niet voor haar? Stephanie haalde diep adem, wierp de bal naar haar handbaltrainer en sprintte naar de overkant. Niet veel later sloot ze zich weer aan bij de rij wachtende meiden, klaar voor het volgende één-tweetje.

Alux... Voor haar was hij nog steeds Lucas van de buren, twee jaar ouder dan zij, haar speelkameraadje tijdens hun vroegere vakanties in Frankrijk. Het was een gedachte die zij levend hield en koesterde als was het een kwetsbaar knuffelbeestje. Elke keer als zij haar klasgenoten in de gangen van de school verliefde blikken naar Lucas zag werpen, en hij haar – alleen háár – in het voorbijgaan een glimlach schonk, voelde ze zich een stukje minder jong worden, een beetje interessanter... Ja, ze wist ook wel dat hij dat alleen maar deed omdat hij haar kende van vroeger, en ja, het was wel een erg kleine glimlach, meer een soort plichtmatig trekken met zijn mond eigenlijk, maar goed. Lucas, alias Alux, zanger van de band met dezelfde naam, had bekijks van meiden van zijn eigen leeftijd en zelfs van die uit de vijfde, dus waarom zou hij zijn aandacht verspillen aan tweedeklassertjes?

'Schiet op, Stephanie, er zijn nog enkele wachtenden na u!' hoorde ze haar trainer roepen.

Ze wierp hem de bal toe en zette aan voor haar volgende sprintje.

Haar klasgenoten hadden niet de minste kans om in de buurt van zijn lippen te komen, toch?

In ieder geval niet zo dicht als zij was geweest. Ze zag zich opeens weer met Lucas aan de oever van de Dordogne zitten, onder een boom, hun voeten in het water. Daar hadden ze gezoend. Geen échte zoen natuurlijk. En eigenlijk hadden ze niet elkaar gezoend, maar zij hem. Voor een ijsje wilde hij het wel toelaten. Een groot ijsje, dat wist ze nog. Haar eerste zoen...

De glimlach om de herinnering bevroor op haar mond toen ze tijdens het terugrennen Renate de bal naar de trainer zag gooien.

Renate wilde haar eerste, echte kus van Lucas, uitgerekend

Lucas. Haar eerste tongzoen. Ja, op oudejaarsavond hadden ze het elkaar plechtig beloofd: dit jaar ging het gebeuren. Zijzelf had het idee al snel in een donkere opbergkast van haar geheugen gestopt. Ze wist niet of ze het al durfde en zolang ze dat niet wist, wilde ze er niet aan denken. Renate de durfal wel, uiteraard. Renate wist altijd wat ze wou, en kreeg het vervolgens nog voor elkaar ook.

Maar met Lucas? Dat zou haar niet lukken, toch? Nee, natuurlijk niet, onmogelijk.

Toch doolde er nu al uren een vaag gevoel van onrust in haar binnenste rond, als om haar eraan te herinneren dat ze er nooit honderd procent zeker van kon zijn. Renate had humor en lef. En met die borsten erbij leek ze opeens minstens twee jaar ouder...

'Jouw beurt weer, Steef!'

Toen ze even later tijdens het uithijgen haar ogen dichtdeed, zag Stephanie opeens een beeld van haar beste vriendin in een innige omhelzing met haar buurjongen. Geschrokken deed ze ze weer open. Ze voelde hoe ze ongemerkt haar tanden in haar onderlip had gezet.

Het thema van het schoolfeest was 'Hollywood'. De grote, witte blokletters uit de heuvels bij Los Angeles, die ze kende van tv, hingen nu boven het podium, waarop bovendien aan weerszijden manshoge Oscars waren geposteerd. Mooi gemaakt, vond Stephanie.

Ook veel leerlingen hadden zich aan het thema aangepast. Zo signaleerde ze verscheidene Harry Potters en Hermeliens op de dansvloer, nogal wat Legolassen en Frodo's, en hier en daar een verdwaalde Johnny Depp als piraat.

Renate was als zichzelf, zag ze, gestoken in haar nieuwe broek en T-shirt. Plus een stel nepborsten, dus toch een beetje Hollywood. Stephanie wendde haar ogen van haar vriendin af. Ze hadden nu officieel drie dagen ruzie. Ze had besloten niet zielig te zijn en gewoon naar het schoolfeest te gaan, maar nu ze hier in de sportzaal in haar eentje stond, met een beker lauwe cola in haar hand, wist ze opeens niet meer wat ze erger vond: Renates zoenplannen of het feit dat ze haar beste vriendin kwijt was.

In de verte klonk gejuich toen Alux het podium beklom. Lucas zwaaide naar de meisjes die zich vooraan hadden opgesteld. Terwijl de bandleden de bas en de gitaren stemden, viel het Stephanie in dat een vijfmansband de naam van de zanger droeg. Toch raar, vond ze. Een beetje... Ja, hoe noemde je dat? De toneelspots veranderden van kleur en Alux begon zijn optreden met het nieuwste nummer van Justin Timberlake. De stemming zat er meteen in. Tientallen ritmisch wuivende armen staken boven de donkere, deinende mensenmassa uit en er werd massaal meegezongen. In een opwelling besloot Stephanie zich in het dansgewoel te storten. Vier nummers lang vergat ze te piekeren en genoot ze van de overweldigende live-muziek. Toen versprong haar blik toevallig van de zingende Lucas naar de zijkant van het podium. Daar, naast de gordijnen, zag ze Renate staan in gezelschap van twee meiden uit de vierde die ze herkende als de vriendinnetjes van de drummer en de bassist.

Haar gezicht voelde plotsklaps aan alsof twee handen haar huid straktrokken. Alsof ze bestuurd werden door een kracht buiten haarzelf, schuifelden haar voeten tussen de dansende leerlingen door naar het podium. Met nog een paar meter te gaan hoorde ze Lucas een korte pauze aankondigen.

En zag ze hoe hij naar de zijkant van het podium liep.

Naar de meiden uit de vierde klas.

Naar Renate.

Stephanie wist dat ze nu beter haar blik kon afwenden, maar deed dat natuurlijk niet.

Als een stuk drijfhout werd ze alle kanten op geduwd in de stroom van leerlingen die naar achteren wilden, van de dansvloer af en naar de kraampjes met versnaperingen toe, maar haar ogen bleven kleven aan Renate. En aan Lucas. Aan Renate mét Lucas. Haar beste vriendin, nee, beste ex-vriendin, deed haar toneelkunstje zoals alleen zij dat kon: sexy glimlachen met kersenrode lippen, handen op haar rug en haar borsten, nee, neptieten, iets meer dan normaal, niet al te opvallend, naar voren geduwd.

Ze praatte met Lucas. Hij praatte terug. En sloeg een arm om haar heen. Via het trapje verlieten ze het podium, gevolgd door de andere meiden en de rest van de band.

In Stephanies maag plofte een scherp voorwerp neer.

'Hai meid, heb je iets aan je ogen?'

In de spiegel boven de wasbak zag Stephanie het gezicht van mevrouw Van den Berg, van wie ze Engels had.

'Ja, de verkeerde eyeliner,' antwoordde ze maar. Ze maakte haar vingertoppen nat en wreef daarmee het laatste beetje traanvocht uit haar ogen. In de zaal was Alux weer begonnen met spelen.

'Leuk feest, hè?' Mevrouw Van den Berg stak haar handen onder de kraan en keek naar Stephanie, eerst via de spiegel, toen rechtstreeks. 'Ruzie met je vriendin misschien?'

Stephanie voelde dat ze rood werd. 'Hoezo?'

'Nou, jullie zijn altijd zo onafscheidelijk. En nu zit zij buiten en jij staat hier, met de verkeerde eyeliner...' – mevrouw Van den Berg glimlachte een beetje spottend, maar wel vriendelijk – 'Een en een is nog steeds twee.'

Stephanie knikte beschaamd. 'Waar zit Renate, zei u?'

Stephanie zag haar silhouet op het lage muurtje zwart afsteken tegen de donker wordende avondhemel.

Even aarzelde ze, maar toen liep ze naar haar toe en ging ook op het muurtje zitten. Voor de zekerheid liet ze een metertje tussen hen open.

'Hij stonk naar bier,' zei Renate, terwijl ze haar ogen op een plek tussen haar bungelende voeten gericht hield. 'En ik heb nog nooit zo'n waardeloze kusser meegemaakt.'

'Nee, allicht, hij was je eerste,' merkte Stephanie op. Ze schoten allebei in de lach.

Nu keek Renate haar aan. 'Maar ik weet al dat ik dat over Alux kan zeggen als ik bejaard ben.'

In de korte stilte die volgde, schoof Stephanie met haar achterste naar Renate toe. 'Hoe erg was het?' vroeg ze gespannen, bijna fluisterend.

Renate tuitte haar lippen en keek even peinzend naar de hemel. 'Het was alsof een kleffe kikker nogal lomp mijn mond binnendrong.'

'Getver.'

'Een kikker die net bij een biertje een sigaret gerookt had.'

'Driedubbelgetver.'

'En ik had me er zoveel van voorgesteld.'

Ze zwegen even.

'Maar wat stelde je je dan voor van iets wat je nooit eerder had meegemaakt?' vroeg Stephanie.

'Nou, gewoon...' Renate schokschouderde. 'Dat het fijn zou zijn en bijzonder... Dat je met je tong praat in plaats van met woorden, bij wijze van spreken.'

Stephanie lachte kort. 'Klinkt spannend. Heb je dat uit een schoolboek?'

'Hoezo?'

'Omdat ik er nog steeds niks van snap. Jij wel?'

Renate moest even nadenken. 'Mmm... Ja, ik denk het,' antwoordde ze ten slotte.

'Mevrouw wijsneus wel.' Stephanie zag dat Renate haar zat

98

aan te kijken met het ondeugende lachje dat aankondigde dat ze iets gewaagds van plan was.

'Wat is er?'

'Zal ik het voordoen?'

'Hè?'

'Precies wat ik zeg. Dan kan ik meteen de kikker van Alux uit mijn mond verjagen.'

Stephanie wilde iets terugzeggen, maar kon geen woorden vormen: haar spraakvermogen was door Renates bizarre voorstel in één klap overrompeld, overmeesterd en uitgeschakeld.

Het gezicht van haar vriendin kwam in het halfdonker naar haar toe zweven. Toen voelde ze lippen, die eerst vluchtig over haar mond streken, vervolgens hun aanwezigheid iets meer lieten gelden en uiteindelijk de hare zachtjes van elkaar duwden. Iets warms zocht contact met haar tong.

Het voelde vreemd, maar niet onaangenaam. En na een aantal seconden niet meer 'niet onaangenaam', maar fijn. En bijzonder. En spannend.

Opeens was haar mond weer leeg. Ze deed haar ogen open.

'Kijk, zoiets bedoelde ik ongeveer,' zei Renate. 'Hoe vond je het? Geen ontmoeting met een lompe kikker, hoop ik?'

'Eh... Nee. Het was fijn. Lekker. Bijzonder.'

'Dank je, graag gedaan. Zo zou je eerste kus moeten voelen, Steef. Goed onthouden.'

'Dit wás mijn eerste, Renate,' zei ze zacht. En kort daarna, na een ongemakkelijk lachje: 'Zijn we nou lesbo's?'

Renate keek haar aan. 'Ik denk het niet. Ik heb ergens gelezen dat een lesbo vanaf haar geboorte met meisjes wil zoenen.

Nou, tot twee minuten geleden wilde ik dat niet en eerlijk gezegd heb ik er nu ook geen overdreven zin meer in. Jij wel?'

Stephanie bewoog het puntje van haar tong even over haar lippen en antwoordde: 'Mwa, misschien... Maar dan wel met een meid met échte tieten.'

Hun gezamenlijke geschater overstemde met gemak de muziek van Alux die vanuit de sportzaal verderop opklonk.

Klappen

Pieter Feller

Boos kijkt Niels naar zijn mobieltje. Hij heeft net een sms'je ontvangen van Brenda en toen hij terug wilde bellen, kreeg hij haar voicemail.

'Gewoon uitgezet,' mompelt hij.

Al vanaf hun geboorte wonen Brenda en hij naast elkaar. Toen ze klein waren en voor het eerst buiten kwamen, waren ze de enige kinderen van hun leeftijd in de straat, dus gingen ze vanzelfsprekend met elkaar spelen.

Samen gingen ze naar het peuterzaaltje en de basisschool. Nu zitten ze al een half jaar in de brugklas van het Nova-college. Niels zit in 1a en Brenda in 1b. Maar ze zien elkaar in de pauzes en na schooltijd brengen ze nog altijd veel tijd met elkaar door.

Niels' moeder komt de kamer binnen. 'Wat is er met jou aan de hand? Je kijkt of je water ziet branden.'

'Ik hoop dat het water gaat branden,' antwoordt Niels ongemeen fel. 'Het water van het IJsselmeer om precies te zijn…'

'Hoe kom je daar nou weer bij?'

'Brenda sms'te me net dat ze vanmiddag niet komt. Ze gaat zeilen met een jongen uit haar klas, ene Gert-Jan van Leyden. Wat een naam…'

Ze zouden gaan basketballen op het pleintje met de andere kinderen uit de straat. Het pleintje is hun vaste ontmoetingsplek geworden.

'Leuk voor haar!' zegt zijn moeder. 'En moet ze dan gelijk door brandend water varen, als in een James Bond-film?' Ze lacht.

Niels kijkt grimmig. 'We hadden een afspraak. Ik baal ervan dat ze niet komt.'

'Jongen, stel je niet zo aan. Je ziet haar elke dag. Het is voor haar een buitenkansje om een keer mee te kunnen op een zeilboot. Ben je soms verliefd op haar?'

'Doe normaal, mama. Ze had het me toch gewoon kunnen zeggen. Nee, met zo'n dom sms'je.' Zijn stem klinkt pissig. Maar hij weet dat de woorden van zijn moeder waar zijn. Hij is verliefd, maar niemand hoeft dat te weten voordat Brenda het zelf hoort. Hij durfde het haar steeds niet te vertellen en nu is het misschien niet meer nodig.

Hij gooit zijn mobieltje op de bank. 'Ik ga.'

In de hal pakt hij zijn basketbal en gaat naar buiten. Al dribbelend met de bal loopt hij over de stoep. Plotseling schiet er van rechts uit een portiek een meisje voor hem langs, dat hem handig de bal afpakt en ermee verder dribbelt.

Eerst kijkt Niels verbouwereerd. 'Jamila, geef die bal terug!' roept hij lachend.

Jamila is een Marokkaans meisje, dat nog niet zo lang in de straat woont. Ze hangt sinds kort ook bij het basketbalpleintje rond. Het is wel een leuk meisje, maar hij kent haar nog niet zo goed.

Handig slalomt Jamila tussen alle obstakels op de stoep door. Niels heeft een achterstand en het kost hem moeite om haar in te halen. Vlak voor ze bij het pleintje zijn, heeft hij haar bijna te pakken, maar voordat hij de bal kan afpakken gooit ze hem razendsnel over het hek het pleintje op, waar een groepje kinderen al staat te wachten.

Ze joelen als de basketbal het asfalt op stuitert.

Jamila gaat voor de ingang van het pleintje staan. Ze spreidt haar armen en lacht naar Niels. Die lacht terug.

102

'Pff, ik wist niet dat jij zo goed was,' zegt hij.

'Moet je beter opletten, man.'

Niels grijnst.

'Komt Brenda ook?' vraagt Jamila.

Niels' gezicht betrekt. 'Nee, die kan niet,' zegt hij kortaf.

Jamila haalt haar schouders op en gaat de kinderen tellen. 'Twaalf, dat komt goed uit. Twee teams van zes. Ieder één wissel.'

Niels knikt. 'Jerrel en ik zijn de aanvoerders. Wij zullen gaan poten.'

Jamila houdt haar hoofd scheef. 'Als je wint, kies je mij dan als eerste?'

Niels kijkt in haar donkerbruine ogen. Haar blauwzwarte haar glanst in het voorjaarszonnetje. Hij kan haar zelfs ruiken, er hangt een kruidige geur aan haar, best wel lekker. Hij grinnikt. 'Lach je me uit, Niels?' vraagt Jamila met een verontwaardigde blik.

'Nee, ik lach je toe, Jamila.'

Ze glimlacht naar hem.

'Jongens, allemaal opkomen,' roept Niels.

De kinderen komen aangerend. 'Is Brenda er niet?' vraagt Jerrel verbaasd. Ook van de gezichten van de andere kinderen is die vraag af te lezen.

Niels zucht. 'Nee, die kan vanmiddag niet.'

Jerrel wint het poten en kiest meteen Jamila. Die kijkt Niels spijtig aan.

Als er twee teams zijn, beginnen ze. Jamila heeft Niels als directe tegenstander uitgekozen. Ze slooft zich erg uit en blokt zijn schoten heel goed. Niels vindt haar wel stoer.

Het is een ideale dag om buiten te spelen: een blauwe lucht met wat witte wolkjes en een zacht windje, dat slechts af en toe aanwakkert.

Toch worden de kinderen al snel warm en bezweet. Niels hangt als een van de eersten zijn trui aan het hek. Na een uur zijn ze allemaal dorstig. Er gaan een paar kinderen naar huis om flessen water te halen.

'Water, bah,' zegt Jamila. 'Ik heb trek in wat anders.'

'Wil je een cola van me?' vraagt Niels.

'Van jou altijd,' zegt ze uitdagend.

Niels gooit de bal naar Jerrel. 'Pas jij er even op! We zijn zo terug.'

Jerrel glimlacht en knipoogt naar hem. Dan slenteren Jamila en Niels het pleintje af naar de snackbar op de hoek. Er waaien een paar reclamefolders over de stoep. De wind is duidelijk wat harder geworden. Even denkt Niels aan Brenda op de zeilboot. Er knaagt een ongerust gevoel in zijn binnenste. Maar dat stopt hij weer snel weg.

In de snackbar koopt hij twee blikjes cola. Daarna gaat hij naast Jamila op een kruk zitten.

Ze lacht naar hem. 'Gaan jij en Brenda met elkaar?' vraagt ze plompverloren.

De vraag overvalt hem. 'Hoezo?' zegt hij geïrriteerd. 'Iedereen weet dat we gewoon vrienden zijn.'

Jamila kijkt hem vorsend aan. 'Ik woon hier nog niet zo lang. Dus ik weet dat allemaal niet. Ik zie jullie altijd samen.'

'Waarom vraag je dat eigenlijk?'

Jamila glimlacht liefjes. 'Gewoon,' antwoordt ze vaag.

Niels klokt zijn blikje achterover en staat op. 'Kom op, we gaan weer.'

De lucht is intussen wat minder blauw geworden. Grijze wolken beginnen over te drijven, maar het blijft nog wel droog.

'Verdomme!' vloekt Niels als ze bij het pleintje komen.

Twee jongens van een jaar of zestien hebben de bal van Jerrel afgepakt en zijn ermee aan het basketballen. Niels kent ze wel, het zijn Stanley en Jasper van een straat verderop. Ze staan bekend als de treiterkoppen van de buurt. De andere kinderen staan ernaar te kijken.

'Hé!' roept Niels door het hek. 'Geef mijn bal terug!'

De jongens doen net of ze hem niet horen en spelen gewoon door.

Niels en Jamila rennen naar hen toe en proberen de bal te pakken. De jongens dribbelen gewoon door en lachen hen uit.

Dan steekt Jamila zomaar een been uit voor Stanley. Hij struikelt en laat de bal los, die de bosjes in rolt. Niels rent erachteraan.

'Klotemeid!' schreeuwt Stanley.

Jamila bedenkt zich niet en holt naar Niels toe.

'Rennen!' roept ze tegen hem. Ze kunnen maar één kant op en dat is naar de sloot. Niels wurmt zich door de struiken en trekt wat takken opzij om Jamila makkelijk door te laten. Ze rent gelijk door, neemt een sprong en landt veilig aan de andere kant van de sloot. Niels gooit de bal naar haar, die ze handig opvangt.

Dan heeft Jasper hem te pakken en geeft hem een klap. Niels rukt zich los en springt de sloot over. Met één been belandt hij er half in, modderwater spat op.

Stanley en Jasper blijven staan en steken hun middelvinger naar Niels en Jamila op. Ze wagen hun nieuwe sportschoenen niet aan de prut.

'We krijgen jullie nog wel,' zegt Jasper dreigend.

Jamila spuugt in de sloot. 'Val dood, sukkels!' roept ze terug.

Dan lopen ze vlug weg.

Niels voelt aan zijn wenkbrauw, waar Jasper hem heeft geraakt.

'Je bloedt,' zegt Jamila.

Ze haalt een zakdoekje uit haar broekzak en geeft het aan Niels. Die drukt het tegen het wondje aan.

'Bedankt voor je hulp,' zegt Niels.

'Het was niets, man. Je bent toch mijn vriend.'

Niels knikt.

'Zal ik mee naar binnen gaan?' vraagt Jamila als ze voor het huis van Niels staan. 'Dan kan ik een pleistertje op het wondje plakken. Daar ben ik erg goed in. Ik doe het ook altijd bij mijn broertjes. Die hebben bijna elke dag wel wat.'

Niels steekt de sleutel in het slot en opent de voordeur. 'Kom maar mee.'

Ze trekken hun modderige schoenen uit en gaan meteen de trap op naar boven. Niels laat Jamila in zijn kamer en gaat zelf de badkamer in. Daar wast hij het wondje schoon en knipt een pleistertje af.

Jamila bekijkt intussen zijn verzameling mineralen.

'Mooi, zeg!' zegt ze tegen hem als hij zijn kamer binnenkomt. 'Och, stelt niet veel voor,' antwoordt Niels een beetje onverschillig.

Jamila pakt er een op. 'Wat is dit? Het lijkt wel een bloem.'

'Dat is een windroos. Die vorm heeft hij gekregen door de wind in de woestijn.'

'Gaaf, zeg.'

Niels gaat op zijn bed zitten.

'Zal ik je dan maar even verbinden?' vraagt Jamila.

Ze gaat naast hem zitten. 'Het bloedt haast niet meer.' Vakkundig plakt ze het pleistertje vast. Ze brengt haar hoofd heel dicht bij het zijne om te kijken of het goed zit. Dan geeft ze onverwacht een kusje op zijn voorhoofd. Haar lippen voelen heel zacht en warm aan.

'Dat helpt bij de genezing,' zegt ze. Ze kijken elkaar in de ogen. Niels voelt zich verward. Hij denkt aan Brenda in de zeilboot met Gert-Jan. Hij voelt een steek van jaloezie. Had hij nu maar tegen Jamila gezegd dat hij wel met Brenda gaat. Nu denkt zij dat hij vrij is.

Jamila slaat haar armen om hem heen en buigt zich naar hem toe. Haar lippen zijn nog maar een paar centimeter van de zijne af.

Wat moet hij doen? Als hij haar kust, denkt Jamila natuurlijk dat hij met haar wil.

Plotseling gaat de kamerdeur open. Jamila springt op. In de deuropening staat zijn moeder.

'Ma-ma, ben je al weer thuis?' stamelt Niels.

'O sorry, ik wist niet...'

'Ik ga, hoor,' zegt Jamila vlug. 'Ik moet nog boodschappen doen voor mijn moeder.' Ze rent de kamer uit en de trap af.

'Wat is er gebeurd?' Niels' moeder wijst op zijn voorhoofd.

'Gewoon,' zegt Niels afwerend. 'Een bal tegen mijn hoofd gehad. Jamila heeft er een pleister op geplakt.'

Zijn moeder kijkt hem glimlachend aan en Niels slaat zijn ogen neer.

'Kom me nu maar even helpen met het opruimen van de boodschappen! Papa komt over een uur thuis en ik moet de aardappels nog schillen.'

Na het eten gaat de voordeurbel.

'Ik doe wel open,' zegt Niels.

Brenda's moeder staat op de stoep. Iets in haar ogen zegt Niels dat er wat gebeurd is.

'Hé Niels!'

'Is er wat met Brenda aan de hand?' vraagt hij zonder terug te groeten.

'Hoe weet jij dat?'

Niels haalt zijn schouders op.

'Je hebt gelijk. Vanmiddag met zeilen heeft ze een giek tegen haar hoofd gekregen.'

'Een Griek?'

'Nee, een giek, dat is een soort mast die over het dek kan zwaaien, en die heeft haar geraakt. Ze heeft misschien een lichte hersenschudding. Ze ligt op haar kamer. Ze heeft gevraagd of je even wilt komen.'

'Natuurlijk.' Allerlei rare gedachten spoken door Niels' hoofd. Stel je voor dat ze doodgaat en dat hij nooit heeft verteld wat hij voor haar voelt. Zonder verder iets te zeggen, glipt hij langs Brenda's moeder. De voordeur van hun huis staat op een kier. Met grote sprongen rent hij de trap op. Voor haar slaapkamerdeur haalt hij diep adem en dan opent hij hem. Eerst ziet hij alleen de rug van haar vader die naast het bed op een stoel zit. Schoorvoetend loopt hij de schemerige kamer binnen.

'Hoi Niels,' zegt Brenda's vader zacht.

Brenda ligt onder het dekbed. Alleen haar hoofd en haar armen zijn zichtbaar. Haar gezicht is bijna net zo wit als het kussensloop. Hij steekt een hand naar haar op.

Zij tilt een vinger op bij wijze van groet.

'Papa,' zegt ze. 'Ik lust zo wel een kopje thee.'

Haar vader staat op en aait over haar voorhoofd. 'Dan ga ik dat toch even voor je zetten, lieverd.'

Hij verlaat de slaapkamer en Niels gaat op de lege stoel zitten. Zwijgend kijken ze elkaar aan.

'Hoe gaat het?' vraagt Niels dan aan Brenda.

'Ik heb een beetje hoofdpijn, maar dat gaat wel weer over,' antwoordt ze. 'Wat is er met jou gebeurd?'

'Een klap gehad van Jasper.' In het kort vertelt hij het verhaal.

'We hebben dus allebei een klap gehad,' zegt Brenda. 'Het zeilen was niets aan,' vervolgt ze. 'Dat is geen sport voor mij, en trouwens, Gert-Jan is een arrogante kwal. Hij kraakte jou een beetje af, weet je.' Ze kijkt Niels verontwaardigd aan. 'Dat pik ik niet.'

Ze kijken elkaar in de ogen.

'Ik had gewoon met jullie, met jou, moeten gaan basketballen. Ik heb je gemist.'

Niels kleurt. 'Ik jou ook, hartstikke.' Hij denkt even aan Jamila. Misschien kwam zijn moeder net op tijd zijn kamer binnen. Stel je voor dat hij haar echt had gekust.

Brenda ligt daar met haar witte gezichtje op het kussen. Haar ogen hebben hem nog nooit zo lief aangekeken, vindt hij.

'Brenda, ik moet je wat zeggen... ik ben al een tijdje verliefd op je.' Het is eruit.

'Niels, ik dacht dat ik de enige was die verliefd was,' fluistert Brenda.

'Op wie dan?' vraagt Niels geschrokken.

'Op jou natuurlijk, gekkie.'

Niels staat op en buigt zich over Brenda heen. Heel zacht kust hij haar op haar voorhoofd, net als Jamila vanmiddag bij hem deed. Brenda sluit haar ogen en slaat haar armen om hem heen.

Dan brengt hij heel langzaam zijn lippen naar de hare. Deze keer blijft er geen ruimte tussen. Voor het eerst in dertien jaar kussen ze elkaar op de mond.

Zullen wij ook?

Debbie Hogewind

Het was eruit voor ik er erg in had.

'Wat vind je eigenlijk van Steven?' had Henny gevraagd, terwijl er een heel stel meiden uit onze klas om ons heen stond. Ze grijnsde naar me, omdat ze het antwoord al wist, maar alleen wilde dat ik het hardop zei.

'Een lekkere druif,' antwoordde ik prompt. Ik schrok zelf van mijn eerlijkheid. Normaal zou ik om zoiets blozen, maar dit keer keek ik alleen maar uitdagend terug. Wie kon me wat maken als ik zei wat ik dacht?

Natuurlijk zag ik wel dat Wanda en Eva meteen wegliepen om het aan iedereen te vertellen. Nog voordat de pauze voorbij was, zouden alle brugklassers het weten. En toch kon het me niets schelen.

De eerstvolgende les was Engels. Weber, chagrijnig als altijd, wachtte ongeduldig tot we allemaal zaten. Dus deden we er langer over dan anders. Steven was de laatste die de klas binnenkwam, met het klassenboek onder zijn arm. Dat legde hij op de tafel van Weber, die inmiddels met zijn vingers aan het trommelen was. Toen Steven ging zitten, keek hij me niet aan. Hij had het dus ook gehoord.

Ik voelde me op een vreemde manier opgewonden, want ik was iets begonnen dat ik niet meer kon terugdraaien. Nu hadden Steven en ik verkering. Iedereen wist wat ik gezegd had.

En dus was het zo. Of hij moest het niet willen, natuurlijk. Maar hij wilde vast wel. Waarom zat hij anders al een paar weken steeds zo naar me te kijken?

De hele les lukte het me niet om Stevens blik te vangen. Twee keer schoten zijn ogen een andere kant op toen ik in zijn richting keek. Ik hoorde vrijwel niets van wat Weber te vertellen had, terwijl Engels nog wel mijn favoriete vak is. Eigenlijk wilde ik alleen maar dat de bel zou gaan, zodat ik Steven op de gang even zou kunnen aanspreken. Er moest nu wat gebeuren.

'Heeft hij al wat tegen je gezegd?' wilde Henny weten toen we na de bel onze tassen aan het inpakken waren.

Ik schudde mijn hoofd en duwde mijn spullen haastig in mijn tas, al vouwde ik daarbij het omslag van mijn boek dubbel. Gaf niets, ik moest zo snel mogelijk de klas uit.

Op de gang keek ik gehaast om me heen. Iedereen ging naar rechts, maar ik zag hem aan het eind van de gang linksaf gaan. Meteen ging ik achter hem aan. Niet zo snel dat het op rennen zou lijken, maar toch behoorlijk sneller dan de andere leerlingen, die ik zigzaggend passeerde.

Barst, dat had ik kunnen weten. Hij ging naar de wc. Zo onopvallend mogelijk wachtte ik schuin tegenover het jongenstoilet tot hij er weer uit kwam.

Hij zag me meteen. Ik kon het niet helpen dat ik moest glimlachen toen ik merkte dat hij bloosde. Misschien wilde hij zich daarom wel van me wegdraaien. Maar ik was al bij hem en legde een hand op zijn arm.

'Steven,' begon ik. Pas toen drong het tot me door dat ik niet eens wist wat ik eigenlijk wilde zeggen.

Hij sloeg zijn lieve puppyogen neer en zei zacht: 'Ik vind jou ook leuk, hoor.'

Het klonk bijna alsof hij sorry zei voor iets wat hij verkeerd had gedaan. En toch was dat het liefste wat ik ooit had ge-

111

hoord. Er wervelde een enorme blijheid uit mijn buik omhoog. Ik vergat blijkbaar even waar we waren, want ik trok hem aan zijn arm naar me toe, wipte op mijn tenen omhoog en gaf hem een zoen op zijn wang.

Toen zijn grote ogen me stomverbaasd aankeken, draaide ik me om en ging als een speer naar het wiskundelokaal. Dit keer holde ik wel. Met bonkend hart.

Het volgende uur durfde ik niet zijn kant op te kijken. Henny schoof me een briefje toe waarop stond: 'Wat is er met jou?' Een antwoord kreeg ze niet. Dat had ik haar in de pauze eigenlijk al gegeven. Ik was verliefd.

Steven. Lieve Steven. Hij was een slungelige, soms wat onhandige jongen die bijna een kop groter was dan ik. Dat hij een brilletje had, vond ik niet erg, al dacht Henny daar heel anders over: die vond jongens met brillen op voorhand al lelijk.

Stevens haar zat altijd warrig, hij droeg zijn T-shirts soms achterstevoren en hij had de hele dag een elastiekje om zijn broekspijp, omdat de kettingkast van zijn fiets kapot was. In de klas was hij niet bijzonder slim of dom. Wel maakte hij soms grapjes, vooral woordspelingen, waarom ik moest lachen. Ik vond het gewoon prettig om bij hem in de buurt te zijn.

De maanden daarna waren we ook vaak bij elkaar. In de pauze liepen we regelmatig samen langs de werf, van de ene brug over de gracht naar de andere. Zijn vrienden vonden het maar raar dat hij niet met hen opliep en mijn vriendinnen lachten me uit, maar daar trokken we ons niks van aan. Als we zin hadden om samen wat te kletsen en te lachen, moest dat toch kunnen?

Vanaf de dag dat ik gezegd had dat hij een lekkere druif was en hem op zijn wang had gezoend, reed hij na schooltijd met me mee naar huis. Hij woonde wel de andere kant op, maar

vond het niet erg om een stukje om te fietsen. Bij het trappenhuis van mijn flat bleven we dan nog wat praten, tot ik het tijd
vond om naar boven te gaan en snel afscheid nam. Altijd was
ik degene die moest zeggen of aangeven dat het genoeg was
geweest. Als het aan hem had gelegen, hadden we daar gestaan totdat ze ons waren komen zoeken, dacht ik wel eens.
Na die ene zoen van mij was er nooit meer een gevolgd. Dat
hoorde op de een of andere manier niet bij ons. Ik weet niet
waarom. We zaten ook nooit aan elkaar, zoals Henny en haar
verkering wel deden, volgens haar. Maar misschien kwam dat
omdat Oscar, haar vriend, al zestien was.
Bij ons was alles een spelletje. We deden onderweg wie het
eerst bij een stoplicht of een lantarenpaal was. Of ik week bij
het trappenhuis steeds verder terug, tot hij zijn fiets neergooi-
de om me te pakken, waarna ik wegrende door de gang bij de
garageboxen. Ik kon veel harder lopen dan hij, maar toch hadden we de grootste lol. Uiteindelijk kreeg hij me altijd te pakken. Dan gierden we van het lachen, maar was het spel eigenlijk meteen afgelopen.
'Jullie zoenen toch wel?' had Henny me meer dan eens gevraagd. 'Tuurlijk,' antwoordde ik dan stoer. 'We zijn geen kinderen meer, hoor.'
Maar misschien waren we dat nog wel. Hoewel ik echt verliefd op hem was. Ik werd nog altijd blij als ik aan hem dacht
en ik vond het echt vervelend als hij een keer niet kon mee-
fietsen omdat hij naar de tandarts moest of zo.
En hij was beslist ook verliefd op mij. Zijn hele schoolagenda
had hij volgekalkt met mijn naam. Zelfs in het klassenboek
stonden hartjes met een pijl erdoor, mijn naam bij de punt en
zijn naam aan de andere kant. Het leek wel of hij er trots op
was dat iedereen het wist. Toen ik een slechte spreekbeurt had
gehouden, was hij de enige in de klas die tijdens de discussie
over het cijfer volhield dat ik een acht zou moeten krijgen. En

ook toen ik moest nablijven, stond hij trouw te wachten om met me mee te rijden.

Hij kwam bij mij thuis en ik ben ook een paar keer in dat grote huis geweest waar hij woonde. We hingen samen uren rond op de kermis, bij mij tegenover de flat, en kwamen veel te laat thuis. Een tijd lang gingen we zelfs iedere week op maandag zwemmen in Ozebi, een rare naam voor een binnenbad in de stad, dat voluit Openbare Zwem- en Badinrichting bleek te heten.

Daar was ik hem onder het zwemmen een keer kwijtgeraakt, terwijl hij net daarvoor nog vlak achter me was. Ik keek rond waar hij gebleven was, toen hij ineens pal voor me opdook. Blijkbaar was hij onder me door gezwommen. Toen zijn lachende gezicht boven water kwam, greep hij me bij de schouders en zoende me op mijn wang. Hij hield me nog steeds vast toen we naar de kant zwommen en daar een tijd aan de rand bleven hangen met de slappe lach.

Waarschijnlijk is dat de keer geweest dat we het dichtst bij elkaar waren. En misschien ging het juist daarom wel mis, want we wisten stomweg niet hoe we daarmee moesten omgaan. Met natte haren fietsten we van Ozebi naar huis. Naar míjn huis natuurlijk, hoewel hij veel dichterbij woonde. Ik voelde me raar, ongemakkelijk, alsof er iets moest gaan gebeuren waar ik geen vat op kon krijgen. In de buurt van het stadion ben ik toen plotseling blijven staan. 'Vanaf hier ga ik zelf verder,' zei ik beslist.

'Ik rij wel even mee, hoor,' protesteerde hij, terwijl hij vlak naast me kwam staan.

Onze gezichten waren vlak bij elkaar. Toen had het moeten gebeuren, maar we keken elkaar alleen maar aan.

'Nee, je moet gewoon naar huis, het is al laat genoeg. En ik kan het echt wel alleen, ik ben al een grote meid.'

Hij lachte zonder dat zijn ogen meelachten en haalde zijn

schouders op. 'Nou ja, dan moet je het zelf weten.' Speels trok hij aan mijn paardenstaart. 'Weet je het zeker?'

Ik knikte. Eigenlijk wilde ik alleen maar dat hij me zou zoenen. Dat gevoel had ik nooit eerder gehad. Maar ik durfde er zelf niet mee te beginnen. Voor één keer nam ik eens niet de leiding. Waarom niet? Misschien vond ik wel dat hij nu eens aan de beurt was, ik weet het niet.

En Steven? Die deed helemaal niks. Zijn lieve ogen keken me van dichtbij aan en er hing een gelukzalige glimlach om zijn lippen. Alsof hij zich niks mooiers kon voorstellen dan dit. En alsof er vooral ook niks anders moest gebeuren dan dit. Ik kon wel janken.

Toen het me lang genoeg geduurd had, werd ik er een beetje kregel van. Snapte hij dan helemaal niets? Of hield hij soms niet genoeg van me?

Ik schoof weer op mijn zadel en zei: 'Oké, dan zie ik je morgen wel.'

Wat onwillig deed hij zijn fiets opzij, zodat mijn stuur het zijne niet zou raken.

Ik keek niet om terwijl ik wegreed, maar wist zeker dat hij me nakeek. Eikel, schold ik in gedachten.

Thuis smeet ik de voordeur achter me dicht. Maar toen mijn moeder vroeg wat er aan de hand was, zei ik natuurlijk niets.

Daarna was het net alsof er iets vervelends gebeurd was met ons. Ik vond het minder leuk dat Steven zo zijn best deed om iedereen te laten merken dat ik zijn meisje was. Het meerijden werd minder gezellig en ik had er bij mijn flat steeds sneller genoeg van om daar met hem rond te hangen. Ik snapte zelf niet goed wat ik nu eigenlijk wilde: moest hij me alsnog kussen of vond ik dat hij zijn kans definitief voorbij had laten gaan? Als ik daar een eenvoudig antwoord op had gehad, zou het allemaal niet zo moeilijk zijn geweest.

Af en toe werd ik zelfs kregel als ik hem zag aankomen, met die lieve blik in zijn hondenogen. Ik schrok ervan toen ik mezelf eindelijk bekende dat ik niet meer verliefd op hem was. Maar ik vertelde er niemand iets over. Want hoe zou ik moeten uitleggen dat ik hem niet meer wilde?

Ik weet het, ik had het hem eerlijk moeten zeggen. Maar op de een of andere manier durfde ik dat niet goed. Het was net alsof ik daarmee een stuk van mezelf zou afstoten. En wie weet waren die nare gevoelens maar tijdelijk en ging het binnenkort wel weer beter.

En inderdaad had ik het niet op die klassenavond moeten laten aankomen. Het was een sinterklaasavond bij Richard Dijkstal, die ervoor gezorgd had dat zijn ouders pas laat thuis zouden komen. Maud en Leo, onze mentoren uit de vijfde, hadden er veel werk van gemaakt. Er was taaitaai en speculaas, er werd gestrooid en gezongen, en iedereen had surprises en gedichten gemaakt.

Om te zorgen dat we niet alleen maar melig op de bank hingen nadat alle cadeautjes eenmaal uitgepakt waren, organiseerden Maud en Leo een spelletje. De jongens moesten allemaal in de schuur zitten en werden er een voor een geblinddoekt uitgehaald. In de kamer zaten wij, de meisjes. Allemaal moesten we een naam kiezen. Die namen werden voorgelezen, waarna de geblinddoekte jongen er eentje noemde. Het meisje dat bij die naam hoorde, moest dan een geluid maken. Raadde de jongen wie het was, dan moest ze hem een zoen geven.

Nadat er drie of vier jongens geweest waren, had een van hen kennelijk met zijn mobieltje naar de anderen in de schuur gebeld of zo. Want ineens noemden twee jongens die uit de schuur gehaald werden achter elkaar de naam van Britney Spears. En toevallig raadden ze dan ook nog dat ik het was. Ik moest ze allebei zoenen.

En toen kwam Steven. Ook hij zei: 'Britney Spears.' Ik maakte

116

mijn geluid, dat hij beslist ook had herkend als niemand hem verteld had dat ik het was. Maar hij aarzelde even, werd rood onder zijn blinddoek en mompelde: 'Henny Grondijs.' De schijterd.

Er ging een geloei op. Toen hij zijn blinddoek afdeed, vermeed hij mijn blik. Ik was kwaad, al wist ik niet goed waarom. Had ik soms gewild dat hij me toch gezoend had?

Het spelletje was meteen afgelopen. De resterende jongens werden uit de schuur gehaald en iedereen zat bij elkaar in de huiskamer.

'Weet je wat het is?' vroeg Maud spottend. 'Jullie zijn zulke typische brugsmurfen. Allemaal! De jongens praten over de meisjes en andersom. Maar als het erop aankomt, zijn jullie gewoon grote schijters.'

'Precies,' viel Leo haar bij, met een brede grijns. 'Wat dat betreft zijn jullie nog net basisschoolkinderen. Je kunt alleen maar gek doen als er gezoend wordt. Zo kinderachtig!'

'O ja?' Henny stond op en liep naar hem toe. 'Vind jij dat echt? Wij allemaal dus?'

Leo knikte. 'Jullie allemaal, ja.'

Dat liet Henny zich niet zeggen. Ze pakte Leo's hoofd tussen haar handen, drukte haar lippen op de zijne en gaf hem een tongzoen.

Iedereen joelde. Het duurde minstens een halve minuut voordat Henny losliet en Leo triomfantelijk aankeek.

Maud schudde haar hoofd naar Leo, maar moest wel lachen.

Leo veegde zijn mond af met de rug van zijn hand en zei laconiek: 'Oké, dat neem ik terug. Niet allemaal. Maar wel bijna allemaal.'

Dat was het startsein voor Wanda en Sander, die al een tijdje verkering hadden, om midden in de kamer hun armen om elkaar heen te slaan en elkaar een tongzoen te geven.

Weer werd er gejoeld, al was het dit keer wat minder hard.

117

Ineens stond Steven naast me. Hij stootte me aan en vroeg: 'Zullen wij ook?'

Ik keek hem recht aan. Nog niet zo lang geleden had ik aan die lieve ogen gedacht voordat ik 's avonds in slaap viel. Maar nu voelde ik helemaal niets als hij me zo aankeek. Langzaam schudde ik mijn hoofd. 'Nee, Steven. Wij niet,' zei ik zacht en ik draaide me van hem weg.

Het ergerde me vreselijk dat hij daarna zo dicht bij me bleef rondhangen. Daardoor is het waarschijnlijk gekomen. Toen iedereen weer druk aan het praten was en ik vanuit mijn ooghoeken zag dat Steven weer in mijn richting kwam, liep ik naar Richard, die met opgetrokken knieën bij de piano zat. Ik schoof naast hem en drukte me tegen hem aan.

Terwijl Richard een beetje verbaasd een arm om me heen sloeg, keek ik naar Steven. Zijn verbijsterde ogen zal ik nooit vergeten. Dat hij vrijwel meteen wegging, voelde ik als een soort overwinning. Ik kon hem wel pijn doen, maar hij mij niet meer. Die avond heb ik gezoend met Richard. Echt gezoend. Voor het eerst. Ik zag best dat Henny onderzoekend naar ons keek. En toen ik na afloop met haar naar huis fietste, wilde ze precies weten wat er gebeurd was. Maar ik vertelde niets. Er was nu eenmaal niets te vertellen.

's Nachts in bed moest ik huilen. Ik was kwaad en verdrietig tegelijk. Steven had me in de steek gelaten. Hij had me alweer teleurgesteld. En ik had hem dat betaald gezet. Dubbel en dwars. Lekker! Maar waarom voelde ik me dan zo rot? Ik omklemde mijn kussen, dat al aardig nat begon te worden.

De volgende dag op school probeerde Steven met me te praten. En Richard wilde verdergaan waar we de vorige avond waren gebleven. Maar ik snauwde ze allebei zo erg af dat ze nauwelijks meer bij me in de buurt durfden te komen. Jongens begrijpen nooit iets.

Zoen gemist?

Mary Schoon

Eindelijk logeert Iris een lang weekend bij Roos. Roos is haar allerallerbeste vriendin. Maar daar hadden de ouders van Roos maling aan. Die gingen evengoed verhuizen. Buiten wilden ze wonen. In een mooi, antiek boerderijtje. Iris snapt er niks van. Woon je in een leuke woonwijk, heb je alles om je heen, winkelcentrum, sportcomplex, bioscoop, ga je verhuizen naar het platteland. Naar eindeloze grasvlaktes, bouwland, bos, heide en schapen. Naar een boerderij met een rieten dak waar duizenden spinnen in zitten en met een enorm erf waar drie ingezakte schuren op staan. Die schuren gaat de vader van Roos opknappen. Er komen tien appartementen in, allemaal met douche en toilet en een eigen terras. Die gaan ze verhuren aan toeristen. Zo hoeft de vader van Roos nooit meer voor de klas te staan.
Roos wilde niet verhuizen. Maar naar haar werd niet geluisterd. Nu moet ze kilometers fietsen naar school. Haar oudere tweelingbroers Koen en Joep moeten dat ook. Maar die vinden dat niet erg, die vinden niks erg, die vinden alles hier geweldig.
'Gaan jullie nog wat doen, vanavond?' vraagt Koen.
Roos kijkt Iris aan. 'Wat wil je doen? Zal ik je het dorp laten zien?'
Iris knikt.
'En jullie?' vraagt Roos.
'Wij gaan straks aan de crossbrommer sleutelen bij Tom. Ko-

119

men jullie kijken? Misschien doet hij het al, dan mag je een rondje achterop.'

'Wil je?' vraagt Roos opgetogen aan Iris.

Iris knikt weer.

'Niet zonder helm op dat ding en niet op de weg,' waarschuwt Roos' vader Koen en Joep. Dan kijkt hij naar de meisjes. 'En jullie niet achterop.'

Ze wandelen over het smalle landweggetje. De buren wonen zo'n vijfhonderd meter verder.

'Het is hier wel mooi,' zegt Iris en ze kijkt genietend om zich heen.

'Maar saai!' roept Roos. 'In de stad, bij jou nu dus, is van alles te doen. Hier sukkel je vanzelf in slaap. Die buurjongen is ook al zo'n saaie pief. Niet wild te krijgen!'

Iris lacht. 'Hij is zich waarschijnlijk rot geschrokken van jou.'

Roos kijkt Iris aan en zegt: 'Ik ben verliefd.'

Iris staat stil. 'Op wie?'

Roos praat op een geheimzinnig toontje verder. 'In het dorp is een soort caféclubhuis waar ze van alles organiseren. Een tijdje geleden was er een discoavond. Na lang zeuren mocht ik er ook heen, samen met Joep en Koen. En toen zag ik hem! Hij heet Daan en is zó knap. Heel anders dan de andere jongens hier. Aan het eind van de avond hebben we gezoend.'

'Echt gezoend?' vraagt Iris.

Roos knikt. 'Het ging lekker, joh! Ik heb hier wel meer gezoend, hoor. Maar dat was niet zo'n succes.'

Iris kijkt Roos nieuwsgierig aan. 'O nee?'

'Regelrechte zelfmoord. Ik verzoop bijna. Ik heb er nog een gehad, daar werd ik helemaal draaierig van. Dat was net een wasmachine.'

Iris schatert het uit. Die Roos, ze klaagt wel, maar ze vermaakt zich uitstekend zo te horen.

120

Ze wandelen het erf van de buren op. Roos steekt haar hand omhoog. Achter de ramen zwaait iemand terug. 'Ze zitten in de verste schuur,' weet Roos.

Als ze de schuur binnenkomen, knipperen ze met hun ogen. Helemaal achterin beweegt wat.

'We zitten hier,' roept Koen.

'We gaan hem zo uitproberen,' schreeuwt Joep.

Langzaam wennen hun ogen aan het donker. De brommer ziet er gaaf uit. Wit met rood en zwart. En een nummer: 19.

Iris ziet bij de brommer een jongen op de grond zitten. Dat is zeker Tom. Hij zegt niks en kijkt ook niet op. Hij sleutelt aan het motorblok. Dat geeft Iris de gelegenheid om hem eens goed te bekijken. Donkerblond lang haar, beetje krullend, blauwgeblokt overhemd met opgestroopte mouwen, een spijkerbroek met gaten en een paar afgetrapte gympen. Van onder tot boven zit hij onder de vlekken en de vegen. Joep en Koen zijn ook al smerig. Koen steekt een trechter in de benzinetank en giet hem vol.

Tom gooit de sleutel neer en staat op. Hij veegt zijn handen aan zijn broek af en geeft Iris een hand. 'Tom Poolland.'

Ze krijgt een kleur. 'Iris Steenman.'

Tom pakt de crossbrommer en loopt ermee naar buiten. De jongens volgen hem op de voet.

Roos trekt Iris mee. 'Vreemde snoeshaan, hè?' fluistert ze.

Iris grinnikt.

De jongens hebben een echte crossbaan gemaakt. Het gaat geweldig. De brommer maakt een knetterend geluid. Om de beurt crossen de jongens over de baan. Af en toe gaat er eentje onderuit, maar die klautert dan weer snel overeind en crosst verder.

Koen komt met een ronkende motor tot stilstand. 'Wil je achterop?' vraagt hij aan zijn zus.

Dat laat Roos zich geen twee keer zeggen. Ze springt achterop en houdt Koen stevig vast.

De wind wappert door haar haren. Even verderop gaat het bijna mis. Koen maakt een scherpe bocht en bijna gaan ze onderuit. Een paar minuten later stapt Roos met glanzende ogen af.

Nu mag Joep en na Joep gaat Tom. In volle vaart rijdt Tom op zijn zelfgemaakte springschans af.

'Hij doet het,' zegt Koen vol bewondering.

Ze houden hun adem in. Even zweeft Tom door de lucht en dan landt hij keurig op de grond.

'Cool man!' juicht Joep.

Tom komt naar ze toe rijden en stopt voor Iris. Hij zegt niks, kijkt haar alleen maar aan. Iris kijkt terug. Ze weet niet wat ze moet doen. Ze vindt het doodeng om achter op dat ding te zitten. Maar ze wil wel. Ze moet snel een keuze maken, anders rijdt Tom vast weer weg. Tom draait een paar maal uitnodigend het gas open.

Iris stapt achterop.

'Hou me vast!' roept Tom. Ze scheuren weg. De blauwgeblokte blouse klappert tegen haar aan. Iris merkt hoe fijn ze het vindt om hem vast te houden. Hij ruikt lekker, ze weet niet waarnaar, gewoon lekker. Hij draait zijn hoofd om en schreeuwt: 'Springen?'

Ze lacht. Waarom doet ze dat nou? Alleen om stoer te doen, want ze durft helemaal niet! Ze rijden op de springschans af. Iris knijpt haar ogen stijf dicht.

Heel even zweven ze door de lucht, dan komen ze met een klap en een beetje schuin weer op de grond terecht.

Wauw!

'Dat je dat durfde!' gilt Roos.

Iris stapt af en lacht verlegen naar Tom.

's Avonds in bed zegt Roos: 'Je vindt Tom leuk, hè?'
'Hij is wel aardig,' zegt Iris.
'Hou op!' gilt Roos. 'Je viel als een blok voor hem!'
'Oké, ik vind hem èèèrg leuk.'
'Morgenavond gaan we naar het café, er is daar weer een disco-avond. Kun je Daan zien. Tom zal er ook wel zijn.'
Iris krijgt het warm. 'Wat is dat voor lawaai?' vraagt ze, om van onderwerp te veranderen.
'Dat zijn kikkers,' zegt Roos. 'Word je helemaal knetter van. En morgenochtend word je wakker van de vogels. Erg hoor.'
Maar Iris vindt het helemaal niet erg. Ze vindt alles hier geweldig. De kikkers, de spinnen, het land, de crossbaan, de brommer, geweldig! En de buurjongen, die is helemaal super-geweldig!

De volgende ochtend gaan Iris en Roos met Roos' moeder naar de markt. Ze krijgen allebei een mooi topje voor het feest van die avond.
's Middags bakken ze een appeltaart en gaan ze zwemmen in het openluchtbad.
De middag vliegt om. Nu zitten ze al uren te tutten voor de spiegel.
Joep en Koen staan beneden te trappelen van ongeduld.
'We gaan, hoor!' schreeuwt Koen, die het wachten zat is.
Even later fietsen ze met zijn vieren naar het dorp. De kerkklok slaat precies negen uur als ze hun fietsen naast de *Wokkel* parkeren. De deur staat open en de muziek waait als een vrolijke wind naar buiten. Roos zoekt met haar ogen het café af. Iris ontdekt Tom. Hij staat in een hoek met andere jongens te praten. Joep en Koen gaan bij het groepje staan. Roos en Iris halen een cola.
'Heeft hij je al gezien?' schreeuwt Roos.
Iris schudt haar hoofd.

123

Ze zou het liefst naar het groepje van Koen en Joep gaan, maar Roos heeft kennelijk Daan gezien want ze trekt Iris aan haar arm en baant zich een weg door de menigte.

'Daan, dit is Iris. Iris, dit is Daan!'

Daan knikt, Iris knikt terug. Tussen de dansende menigte door ziet Iris dat Tom naar haar kijkt. Even kijkt ze terug, maar ze wordt er bloednerveus van en kijkt gauw weg.

Roos straalt, haar ogen blijven aan Daan plakken. Twee tellen later staan ze al tegen elkaar aan te schuifelen.

Iris drinkt haar glas leeg en gaat naar de wc. Als ze terugloopt, kijkt ze stiekem naar de jongens bij de bar. Maar Tom ziet haar niet, hij staat met zijn rug naar haar toe. Iris loopt naar buiten en gaat op de vensterbank zitten. Ze sluit haar ogen en ademt de frisse lucht in. Als ze haar ogen weer opendoet, kijkt ze recht in het gezicht van Tom. Ze schrikt zich rot en ze voelt dat ze een kleur krijgt.

'Vind je het hier leuk?' vraagt Tom.

Iris knikt. Ze vindt het hier fantastisch. Voor de eerste keer in haar leven is ze stapelverliefd. Maar dat durft ze natuurlijk niet tegen hem te zeggen. Haar grote blauwe ogen kijken hem aan. Langzaam komt zijn gezicht dichterbij.

Haar benen worden van pudding en haar hart klopt sneller dan ooit. Nu gaat het gebeuren, denkt Iris. O help, ik val flauw. Ze sluit haar ogen. Ze voelt zijn lippen zachtjes over haar voorhoofd gaan, over haar neus, aarzelend naar haar...

Joep steekt zijn hoofd om de hoek en brult: 'Biertje?!' Hij reikt Tom een glas aan. 'Jij een cola, Iris?'

Iris knikt, ze kan niks zeggen, ze dacht echt dat Tom haar ging zoenen.

Joep rent alweer naar binnen om een cola te halen.

Iris lacht verlegen en kijkt naar de grond. Het mooie moment is voorbij.

Tom pakt haar hand en samen gaan ze naar binnen. Zodra Roos Iris ziet, komt ze boos aanstappen, ze trekt Iris naar zich toe en schreeuwt: 'We gaan naar huis! Het is uit met Daan! Toen ik terugkwam van het toilet stond hij een ander meisje te zoenen! Hij zegt wel dat dat grietje dronken was en hem zomaar een zoen gaf, maar ik geloof er niks van. Ik wil hem nooit meer zien!' De tranen blinken in haar ogen en ze trekt Iris hardhandig mee. Wanhopig kijkt Iris Tom aan. Dan laat ze hem los en gaat met Roos naar buiten.

Het is alweer zondag. Vanmiddag komen Iris' ouders haar ophalen. Veel te snel. Ze wil hier nooit meer weg. Roos baalt ook. Ze heeft Roos moeten beloven dat ze elke vakantie komt. Iris staat op het erf. In de verte ziet ze Tom over het land crossen. Joep en Koen verhogen de springschans.
Zou Tom weten dat ze zo weggaat? Wat hebben ze elkaar gezegd? Niks. Ze wilde hem zoveel vertellen maar toen ze in zijn ogen keek, kreeg ze geen woord over haar lippen. Ze wist niet dat verliefd zijn zo moeilijk was. Het liefst zou ze nu naar hem toe rennen, nog één keer achter op de brommer zitten met haar armen stijf om hem heen. Zijn krullen in haar gezicht voelen kriebelen, zijn lekkere luchtje ruiken, maar het aller-allerliefste zou ze hem willen zoenen. Iris zucht. Daar is nu allemaal geen tijd meer voor. Haar ouders kunnen elk moment komen en die zouden het vervelend vinden als ze er niet was.
In huis rinkelt de telefoon. Dat zal Daan wel weer zijn, die belt om de tien minuten. Roos doet net of ze nog boos is, ze vindt het veel te leuk zijn stem te horen. In de verte komt er een bekende auto aan.

Na de broodjes en de koffie bedankt Iris de ouders van Roos. Lachend zwaaien ze haar uit. Roos rent zelfs nog een stukje achter de auto aan. Dan komen ze langs het huis van Tom. De jongens staan op de weg.

'Stop even, pap,' zegt Iris. 'Ik wil Joep en Koen gedag zeggen.' Ze stapt uit en geeft de tweeling een hand. Dan staat ze voor Tom en weer weet ze niks te zeggen. Ze kijkt in zijn ogen en ziet dat hij hetzelfde voelt.

Tom pakt haar hand en duwt er een papiertje in.

'We gaan, Iris,' zegt haar vader.

Ze blijft achteromkijken. Koen en Joep zijn het erf alweer opgelopen, maar Tom staat nog steeds op de weg. Als hij bijna een stipje is, vouwt ze het briefje open en leest:

Ik wacht
Elk weekend
Wacht ik
Op jou

Tom

De val van Rense Brons

Rom Molemaker

Rense Brons draaide aan de dimschakelaar. Het licht van het halogeenlampje boven de ronde spiegel in de badkamer zakte weg tot een aangenaam zacht schijnsel.

Hij keek naar zichzelf. Kort, donker haar, dat nog net niet krulde. Bruine ogen – warme bruine ogen, vond hij zelf – een rechte neus en oren van precies de goede afmetingen. Hij keek opeens scherp naar een plekje naast zijn neus. Pukkeltje? Nee, loos alarm. Rust in de tent.

Brede schouders, spieren en alles. Volmaakte sleutelbeenderen. Soms vergeleek hij zichzelf wel eens met van die beelden die je in Athene en Rome zag. Beelden van prachtig, glad marmer. Goddelijke lichamen.

Hij haalde diep adem en knikte zichzelf tevreden toe. Rense Brons: volmaakt van lijf en leden. Wie deed hem wat?

Het was de eerste dag van het nieuwe schooljaar. En wat nog belangrijker was: voor hem geen onderbouw meer. Dwars tussen die kinderen door lopen. Kleine jongetjes aan de kant duwen zonder dat je naar ze keek. De ogen van brugmeisjes in zijn rug. Hij kiende het zo uit dat hij niet op het laatste nippertje bij school aankwam, maar wel zo laat dat hij bij lange na de eerste niet was. Toen hij zijn fiets weggezet had liep hij het zo goed als volle plein op.

Volle pleinen op lopen, daar hield hij van. Hij wist dat er dan naar hem gekeken werd. Hij was het gewend. De meisjes vol bewondering en de jongens jaloers. Hij had lang geoefend op een manier van kijken die aangaf hoe relaxed hij zich voelde, en hoe zeker van zichzelf. Maar in diezelfde blik was ook verveling, vanwege al het gewone en lage volk om hem heen.

'Jó Rense.' Dingeman Spruit kwam naar hem toe. Dingeman was klein en mager. Hij droeg een rond brilletje en waste bijna nooit zijn haar. Dingeman was eigenlijk bijna een nerd, maar Rense stond hem toe naast hem te lopen als dat zo uitkwam. Vooral op het volle plein. Des te beter voor hemzelf.

'Dingetje,' zei hij. 'Jó man.'

'Hoop kleine kinderen.' Dingeman haalde minachtend zijn neus op. 'Muggen.'

'Ja.' Rense keek opzij. Er waren behoorlijk wat bruggers die net zo groot of groter waren dan Dingeman Spruit.

'Strak rooster wel,' zei Dingeman. 'Twee vrije middagen.'

'Zekors.' Meer commentaar gaf Rense niet. Dat Dingeman naast hem mocht lopen was al mooi genoeg. Een gesprek hoefde nou ook weer niet. Rense keek op zijn horloge. Het was bijna kwart over acht, en de bel kon elk moment gaan. Er botste een jongetje tegen hem op.

'Kijk uit waar je loopt, joh.' Rense keek hem vriendelijk aan. Als een grote, aardige neef.

'Ja, hallo,' zei het jongetje verontwaardigd. 'We doen tikkertje, hoor.' Hij stoof weg.

'Tikkertje, zegt hij.' Dingeman schudde meewarig zijn hoofd. 'Wat een kinderen.'

Rense reageerde er niet op. Hij keek naar een groepje meisjes in de buurt van de deur. Marjolein, Hayat, Esmé. Ze hadden hem allang zien staan, hij zag het. Zo nu en dan even een blik in zijn richting, en net doen alsof ze hem niet in de gaten hadden. Smiespelen met elkaar en dan heel hard lachen. Rense

128

deed zijn schouders nog iets verder naar achteren en trok zijn buikspieren aan.

'Rense,' zei een stem achter hem. 'Alles flex, jongen? Hey Dinges.'

'Jó man.' Rense keek om. Daar stond Dolf Kastmans, zo dik en rond als hij was. Dolf had een varkensachtig hoofd, met kleine oogjes. Maar hij was wel oké. En Rense had helemaal geen behoefte aan jongens om zich heen die er bijna net zo goed uitzagen als hij.

'Ik was net even binnen,' zei Dolf. 'Ik moest iets afgeven van mijn vader.'

'Joh,' zei Rense. 'Dolf toch. En nou?'

'Wat ik daar even tegenkwam, jongen.' Dolf wachtte.

'Oké.' Rense gunde hem een halve minuut. 'Wat kwam je tegen?'

'Zeg liever: wíé kwam ik tegen,' zei Dolf.

'Goed. Wie dan?'

'Onze nieuwe lerares Nederlands. Hoe heet ze ook alweer?'

'Geen flauw idee man.' Namen van leraren, echt niet. Rense keek recht in de ogen van Esmé Verbeeld. Razendsnel en zonder erover na te denken schakelde hij over van verveeld naar warm en aandachtig. Hij zag hoe ze smolt en haar ogen neersloeg. Toen keek hij weer naar Dolf.

'De bom,' zei hij. 'Wat was er met haar dan?'

'Een stuk, jongen. Dat geloof je niet.'

'O ja? Jong?'

'Piepjong, man. Bloedjemooi, echt waar.'

'Hoe weet je dat zij het is?'

'Ik liep net langs toen ze werd voorgesteld aan Klappermans. Die zei helemaal niks, man. Hij keek alleen maar. Met zúlke koeienogen.' Dolf gaf met zijn handen een decimeter of twee aan.

'Nou, dat gaan we meemaken dan,' zei Rense. 'Het derde uur.'

129

De bel ging en de massa schuifelde naar de deur. Rense hield Esmé en haar vriendinnen in de gaten en zorgde ervoor dat hij op hetzelfde moment bij de deur was als zij. Twee kleine jongetjes liepen hem voor de voeten. Hij schoof ze aan de kant en ging schouder aan schouder met Esmé naar binnen.

'Daar gaat-ie weer voor niks,' zei hij. 'Zin in?'

'Ja hoor.' Ze keek hem stralend aan.

'Ik eerst helemaal niet,' zei hij. 'Maar nu ik jou zie, komt alles goed.'

Ze stond zomaar op het punt om zich in zijn armen te werpen, waar iedereen bij was. Hij wist het absoluut zeker. Strak blotebuik-T-shirtje. Die was binnen.

De eerste twee uur wiskunde. De leraar heette Van de Dorre. Hij kon niet uitleggen. Maar dat was niet erg, want hij kon ook geen orde houden, dus die uurtjes waren uitermate geschikt om nog even te chillen voor het echte werk begon.

'Hey man,' zei Dingeman tegen Rense. 'Ik zag hoe Esmé naar je keek. Je hebt het weer voor elkaar.'

Rense keek even om en zag hoe Esmé haar ogen neersloeg.

'Ik denk dat ik Marjolein maar eens ga proberen,' ging Dingeman verder.

'Jij wel, hè Tarzan,' zei Rense. De minachting droop ervan af. Dingeman kreeg een rood hoofd en deed er verder het zwijgen toe.

'Brons?' De stem van Van de Dorre kwam hinderlijk tussenbeide. 'Weet jij het?'

'Weet ik wat?' Rense keek hem verbaasd aan.

'Hoe je deze lineaire vergelijking oplost.'

'Nou, ik zal heel eerlijk zijn, meneer Van de Dorre,' zei Rense. 'Daar heb ik nou geen flauw idee van.'

Er klonk gegrinnik om hem heen.

130

Aan het begin van het derde uur legde Rense zijn hand even op de schouder van Esmé toen ze het lokaal van Nederlands binnengingen.

'Zin in een leuke zaterdagavond?' vroeg hij.

'Ja.' Ze knikte ademloos.

'Dan is *The Jam* de plek.' Hij keek haar zelfverzekerd aan. 'Want dan ben ik er ook.'

Ze wist niet meer uit te brengen dan een verstikt kreetje, en even overwoog hij om een hand door haar haar te halen, toen hij op zijn schouder werd getikt.

'Mag ik er langs?' vroeg een stem.

Rense draaide zich verstoord om en keek toen in een paar fantastische, donkerblauwe ogen. Zwart, dik, golvend haar eromheen, en lippen om, eh… ja dus.

Hij stond stokstijf stil en keek. De gedachte aan Esmé vloog weg als een pluis op de wind.

'Moet ik alsjeblieft zeggen?'

'O, eh…nee, nee. Sorry.' Zijn stem haperde. Het zweet brak hem uit, terwijl hij haastig opzij stapte.

'Dank je.' Ze gleed langs hem heen. Hij keek haar na… Kálere!

'Wat zei ik, chanterman?' fluisterde Dolf achter hem toen Rense eindelijk, en min of meer op de tast, zijn stoel had gevonden. 'Vers, hè?'

'Hou je kop.' Dat kon hij er niet bij hebben. Hij keek alleen maar.

Ze begon te praten over moderne poëzie. Gedichten interesseerden hem niet. Gedichten, daar deed hij helemaal niet aan. Niet dat het iets uitmaakte, want hij hoorde haar wel, maar wát ze zei drong niet tot hem door. De klank van haar stem was genoeg. Zwoele muziek op een warme zomeravond met de ramen open. En dan nog wat ze aanhad, en wat eronder zat. Hij kon zijn ogen er niet van afhouden.

Maar uiteindelijk was het haar mond. Rense probeerde zich

131

voor te stellen hoe die lippen zacht werden onder de zijne. Hoe haar ogen eerst langzaam dicht zouden gaan, maar dan weer open. Hoe haar ogen zouden smelten. Hoe hij haar vast zou moeten houden om te voorkomen dat ze door haar knieën zakte.

Het geluid van de bel scheurde zijn droom aan stukken. Hij stond op en volgde de anderen naar de deur. Toen hij langs haar tafel liep, keek ze hem even aan. In haar blik was niet veel te lezen, maar Rense was eraan gewend dat meisjes hem bewonderden, en in haar ogen las hij dat dus ook. Hij wist niet anders.

Zonder op zijn omgeving te letten liep hij door de gang. Naast hem liep Dingeman te tetteren. Over school. Over bruggers, meisjes, lessen.

'Ik heb hoofdpijn, Ding,' zei hij. 'Laat me met rust, man.' Dingeman zweeg. Natuurlijk zweeg hij.

Na schooltijd zat Rense met Dolf in het fietsenhok.

'Hoe heet ze eigenlijk?' vroeg hij.

'Wie?'

'Nederlands.'

'O, ja. Hé, lekker ding, of niet? Hé, wat zei ik?'

'Hoe heet ze, Dolf?'

'Speelman, J. Speelman. Staat in je lijst.'

Speledingetje dus. En die J... Julia, dat moest het zijn.

'Jeanette, denk ik,' zei Dolf. 'Of Josefien.'

'Ik denk het niet,' zei Rense. Hij schopte een steentje weg, zodat het met een knal tegen de wand van golfplaat aan vloog. Julia en anders niet.

'Je hebt Esmé in je binnenzak,' zei Dolf vergenoegd. Succes voor Rense was ook een beetje succes voor hem. 'Die heb je zo liggen.'

Rense antwoordde niet. Hij keek naar de deur. Julia Speelman

verscheen en de wereld stond stil. Ze liep bij hem vandaan.
Spijkerbroek zweefde naar het hek.
'Die is te groot voor jou, jongen.' Dolf zag hem kijken.
Rense wachtte tot de hoek waar ze verdwenen was, weer op
adem was gekomen. Toen keek hij Dolf aan.
'Dolf, kerel,' zei hij. 'Voor Rense Brons is niemand te groot.'
'Die krijg je echt niet om.' Dolf lachte vettig.
'Wedden?' zei Rense.

De kans kwam sneller dan hij gedacht had. De volgende dag
stonden ze in de hal, na het laatste uur, toen ze langskwam. De
gesprekken vielen stil en iedereen keek. Ze ging de hoek om,
naar de docentengarderobe.
'Kom op, Rense,' zei Dolf. 'Dit is je kans, man.'
Rense keek om zich heen. Er waren niet veel leerlingen meer
in de hal. Weinig getuigen bij zijn aanstaande triomf. Alleen
zijn eigen clubje, en even verderop Esmé en Hayat. Esmé,
even niet.
'Hier blijven staan,' zei hij. Hij keek in gedachten in de spiegel en hij glimlachte even. Dit ging niet echt een eitje worden,
maar de overwinning was aan hem, zonder twijfel. Hij ging
dezelfde hoek om als zij.
De gang was leeg en wachtte tot het schoonmaakbedrijf als
een razende storm het stof alle hoeken zou laten zien. Rense
stond stil. De garderobe was aan het eind van de gang links,
maar daar hoefde hij niet helemaal heen: ze zou vanzelf terugkomen. Hij liep tot halverwege de gang, leunde tegen de muur
en wachtte.
Al snel hoorde hij haar voetstappen en ze kwam tevoorschijn.
Ze droeg een huiveringwekkend lekker rood leren jasje. Rense
zette zich af tegen de muur en ging midden in de gang staan.
Ze minderde pas vaart toen ze vlak bij hem was en toen stond
ze tegenover hem. Kleine stofdeeltjes zweefden rond in het

zonlicht dat door de ramen naar binnen viel. Rense keek in haar donkerblauwe ogen en zijn buik trok samen.

'Ik ben Rense Brons,' zei hij toen.

Ze knikte. 'Ik hield je al in de gaten,' zei ze. 'Je hebt nogal succes bij de meisjes, geloof ik.'

Er kwam een voldaan glimlachje rond zijn mond. Lekker was dat, als je niks uit hoefde te leggen. Misschien zou het makkelijker worden dan hij gedacht had. Hij deed een stap naar haar toe. Ze bleef staan en keek hem alleen maar aan. Ze zei niets.

Ze wacht er gewoon op, dacht Rense. Ze wil het net zo graag als ik. Hij stond vlak voor haar en stak zijn hand uit. Ze bewoog nog steeds niet. Toen legde hij zijn hand in haar nek en trok haar hoofd naar zich toe. Haar lippen kwamen dichtbij, heel dichtbij. Die mond, jongen.

Er hing een geur om haar heen die hij niet helemaal thuis kon brengen. Iets uit een ver land, en even zag hij hoge bergen en ruisende watervallen. Adelaars die op hun brede vleugels ronddreven op de wind. Hoge, kaarsrechte naaldbomen. Dit alles ging door zijn hoofd in die ene seconde die hij nog nodig had om met zijn lippen de hare aan te raken.

Heel even voelde hij hoe ze meegaf, hoe haar lippen zacht werden. Het was het moment van de grote overwinning. Maar ze had hem op het verkeerde been gezet. Net toen hij zijn mond iets opende, zette ze haar scherpe kleine tanden in zijn onderlip en beet hem. Hard.

Hij trok zich haastig terug en keek haar verbijsterd aan. Eerst proefde hij de smaak van bloed, en daarna voelde hij de pijn.

'Bitch!' zei hij. 'Wat doe je nou?'

'Luister goed, mannetje.' Ze veegde met haar pink een bloedvlekje uit haar mondhoek. 'Gasten zoals jij wordt nooit iets in de weg gelegd. Jullie kunnen alles maken, denken jullie.'

Ze wachtte even, alsof ze hem de kans wilde geven iets te zeggen. Maar hij had zijn hand tegen zijn mond gelegd, in een poging om de pijn terug te duwen.

'Niet dus,' zei ze. 'Doe zoiets nooit meer. En noem me nooit meer bitch, of ik breek je.'

Ze had heel wat minder spiermassa dan hij, maar hij wist dat het geen grootspraak was.

'En nu aan de kant.' Ze zette een hand tegen zijn borst en duwde hem opzij, zonder dat hij het in zijn hoofd haalde om zich te verzetten. Hij zocht met zijn linkerhand steun tegen de muur en keek haar na. Een tijgerin die haar prooi achter zich liet.

Er zat een verfrommelde tissue in zijn broekzak. Hij grabbelde hem tevoorschijn en hield hem tegen zijn mond, terwijl hij terugliep naar de hal. Daar stonden de anderen nog te wachten. Shit, dat was waar ook. Zelfs Esmé, shit man. Hij wilde zich omdraaien, maar dat zou op vluchten lijken.

'Wat is er gebeurd, Rense, man?' vroeg Dolf.

'Een deur,' zei Rense moeilijk. 'Ging opeens open.' Het praten deed allemachtig veel pijn. Niemand reageerde, en toen hij naar ze keek, zag hij dat ze hem niet geloofden.

'Echt waar,' zei hij. Maar hij wist dat elke ontkenning het allemaal alleen nog maar erger maakte. Hij schudde zijn hoofd en liep de hal door, terwijl de tranen hem in de ogen stonden.

Hij moest langs de meisjes, die vlak bij de buitendeur stonden. Hij wilde het niet doen, maar hij keek Esmé even recht aan, toen hij langsliep.

Ze zei niets, maar in haar ogen zag hij minachting. En meteen daarna het ergste wat er bestond: medelijden.

Met dank aan mijn neef Paulo.

Het verschil

Marion van de Coolwijk

'Toe dan!' Lisa keek haar vriendin Amber dwingend aan. 'Je bent toch niet bang, of zo? Ga nou! Als je niet snel iets doet, danst Dennis met een ander!'
Ze gaf Amber een duw in de richting van de dansvloer. 'Ten aanval!'
Met gebogen schouders schoof Amber de dansvloer op. Lisa draaide zich om en liep naar de frisdrankautomaat in de hal van de school. Ze graaide in haar broekzak. Het muntje rolde in de automaat en met een klap viel er een blikje cola naar beneden. Het gedreun van de discomuziek galmde door de hal. Lisa begreep helemaal niets van Amber. Al wekenlang zeurde ze aan haar hoofd over Dennis. Dennis was lief, Dennis was knap, Dennis was slim, Dennis was dit, Dennis was dat... Maar actie ondernemen, ho maar! Gek werd Lisa ervan. Het was toch niet zo moeilijk om een jongen aan de haak te slaan? Beetje aandacht, verleidelijk kijken en hebbes! Jongens waren zo voorspelbaar.
Al vanaf de basisschool had Lisa iedere jongen die ze wilde, gekregen. Ze was de tel een beetje kwijtgeraakt, maar ze had ze allemaal gezoend. Zoenen was leuk! Vooral als de andere meiden jaloers naar je stonden te kijken. Het was een spel, een verslaving. Lisa wist het. Het had niets te maken met verliefd zijn. O, nee! Verliefd was Lisa nog nooit geweest. Ver-

136

liefd zijn was voor watjes. Daar zou ze nooit aan beginnen. Verliefd zijn maakte je afhankelijk en dat wilde ze niet... nooit! Ze hield de touwtjes goed in handen. Zij koos de jongens uit, zij bepaalde wanneer er gezoend werd. Lisa had nooit lang verkering met een jongen gehad. Hooguit een week of twee. Er was altijd wel weer een andere leuke jongen met wie ze ook wilde zoenen. Nog nooit had een jongen het met haar uitgemaakt. Nee, ze was ze altijd voor. Zij maakte het uit en als ze eerlijk was, moest ze toegeven dat ze genoot van haar machtspositie.

Jongens konden zo dramatisch reageren. Neem nou Nik uit groep acht. Hij was best knap, maar hij zoende verschrikkelijk vies. Nat en ongelofelijk smakkerig. Ze had het meteen uitgemaakt en hem ook verteld dat hij eerst maar eens moest gaan oefenen. Was hij gaan huilen! Echt een loser, zeg!

Lisa nam een slok cola en keek naar de dansvloer. Amber wiebelde wat heen en weer in de maat van de muziek. Ze stond vlak achter Dennis die met een ander meisje danste. Ambers wanhopige blik en aarzelende houding maakten Lisa woedend. Moest ze dan alles voorkauwen! Lisa gebaarde dat Amber iets moest doen, maar haar vriendin liep de dansvloer af en kwam bij haar staan.

'Ik durf het niet,' hakkelde Amber. 'Hij danst al met een meisje. Ik...' Ze keek Lisa smekend aan. 'Wat nou als hij nee zegt?' Lisa gaf haar halflege blikje aan Amber. 'Hij zegt geen nee, als je het goed aanpakt. Hier! Ik doe het wel voor. Let goed op!' Met grote stappen liep ze de dansvloer op. Wiegend met haar heupen danste ze naar Dennis. 'Hé, Dennis! Maak me blij en dans ook even met mij!' Ze hief haar beide armen en bewoog zich als een slang die kronkelde. Dennis lachte en liet het meisje los. Hij sloeg zijn armen om Lisa's middel en kronkelde mee. Het meisje liep met een boos gezicht weg.

Lisa pakte Dennis vast bij zijn nek en boog voorover. 'Wil je

137

wat voor mij doen?' fluisterde ze. Dennis duwde haar dichter tegen zich aan. 'Tuurlijk, voor jou doe ik alles!'

Lisa trok hem al dansend mee naar de rand van de dansvloer. 'Wil je met mijn vriendin Amber dansen? Ze is verlegen… een beetje een saaie huismus, zeg maar. Ze durft het je zelf niet te vragen, dus doe ik het nu voor haar. Ze staat bij de cola-automaat.'

Dennis keek om en glimlachte toen hij Amber zag. 'Is dat jouw vriendin? Ze stond net toch naast me op de dansvloer?'

Lisa knikte. 'Ja, om jou te vragen. Kom op, Dennis… dans met haar!'

Dennis liet Lisa los. 'Mmm, ze ziet er lief uit. Ik hou wel van verlegen meisjes!'

Hij liep naar Amber en pakte haar hand. Lisa zag dat hij iets zei.

'*Toe dan*,' gebaarde ze naar de hulpeloos kijkende Amber. '*Ga dan mee!*'

Amber zette haar blikje in het raamkozijn en liep aarzelend met Dennis mee naar de dansvloer. Lisa volgde hen met haar ogen. Dat had ze toch maar mooi geregeld. Ze zag hoe Dennis Amber vastpakte en met haar danste. Zijn lange, gespierde armen vielen haar nu pas op. Dennis was best een lekker ding en nog lief ook. Natuurlijk viel hij niet echt op Amber. Hij had het gedaan omdat Lisa het hem had gevraagd. Voor haar deed hij alles, had hij gezegd.

Lisa lachte voldaan. Jongens deden altijd alles voor haar. Zij was geen saaie huismus. Integendeel. Jongens vonden haar spannend en aantrekkelijk. Lisa staarde naar het lange lichaam van Dennis, dat op de muziek bewoog. Ze gloeide. Ze had nog nooit met Dennis gezoend. Waarom eigenlijk niet? Hij had niet echt op haar lijstje gestaan, maar nu ze hem zo bekeek… Zijn gezicht, zijn ogen, zijn mond… Ze kreeg een vreselijk verlangen om Dennis te zoenen. Tegelijk met die heerlijke gedachte kwam een andere, beschamende, gedachte bij haar op. Ze mocht Dennis niet zoenen. Amber was verliefd op Dennis. Amber was haar beste vriendin. Zoiets deed je toch niet? Lisa zag hoe Dennis wat in Ambers oor fluisterde. Amber lachte. Ze gooide haar lange blonde haren naar achteren en drukte zich steviger tegen Dennis aan. Lisa trok haar wenkbrauwen op. Die Amber sloofde zich nu wel erg uit! Wat een aanstelster. Ze verwachtte toch niet dat Dennis daarin zou trappen? Zo dom was hij toch niet? Lisa staarde onafgebroken naar het dansende stel. Dennis en Amber... Dennis en Amber... De twee namen spookten door haar hoofd.

Plotseling ging de dreunende dansmuziek over in een langzaam schuifelnummer. Lisa haalde opgelucht adem. Nu zou Dennis Amber wel loslaten. Schuifelen met een saaie mus was wel erg veel gevraagd voor zo'n blitser als Dennis. Lisa liep de dansvloer op. Zij zou hem wel redden van deze kwelling. Amber had in ieder geval met Dennis gedanst, dat moest genoeg zijn voor vanavond.

'Hé, Liesje... zin om te dansen?'

Lisa draaide zich om. Achter haar stond Jelle, haar buurjongen. Hij keek haar uitnodigend aan. Jelle was een jaar ouder dan zij. Hij had korte zwarte piekharen en veel sproeten, en hij had al jaren een oogje op Lisa. Ze vond Jelle aardig en lief, maar daardoor ook heel gewoontjes. Hij was niet echt een jongen met wie je je vriendinnen jaloers kon maken. Met Jelle kon je praten en lachen, maar absoluut niet zoenen! Stel je voor... je eigen buurjongen. Dat was echt niet cool!

'Nee, dank je. Ik ben al bezet,' antwoordde Lisa. Ze wees naar Dennis en Amber en haar mond viel open. Lisa voelde de grond onder haar voeten wegzakken. Dit kon niet! Sprakeloos keek ze naar Dennis en Amber. Ze zoenden. Niet zomaar een klein kusje op de wang. Nee, ze zag hun monden stevig op elkaar gedrukt en heftig heen en weer bewegen. Lisa's hart bonk-

139

te in haar keel. Dit was een vergissing. Er moest een verklaring voor zijn... Natuurlijk! Dat was het! Lisa haalde opgelucht adem. Amber zoende Dennis en niet andersom. Amber had haar kans geroken en Dennis overvallen met haar gezoen. Die arme jongen was natuurlijk heel erg geschrokken en te beleefd om haar weg te duwen. Lisa glimlachte. Die verlegen Amber durfde, zeg!

Lisa duwde Jelle weg en liep naar Dennis en Amber. Ze zou Dennis wel redden van haar saaie vriendin. Tenslotte had zij Dennis gevraagd met Amber te dansen. Het was haar plicht om hem nu ook te bevrijden.

Lisa stond vlak naast het zoenende stel. Ze kuchte. Er kwam geen reactie. Amber hield Dennis stevig vast. Hun monden zaten aan elkaar geplakt en bewogen nog steeds heen en weer. Lisa zag dat Amber haar armen stijf om Dennis' middel had geslagen. Alsof ze hem nooit meer zou loslaten.

Lisa begon zich te schamen voor haar vriendin. Zoiets deed je toch niet? Lisa keek om zich heen. Wat moesten de anderen nu wel niet van haar denken? Amber zette háár ook voor schut op deze manier.

'Nu is het wel genoeg!' riep Lisa. 'Stel je niet zo aan!' Ze pakte Amber ruw bij de arm. Dennis en Amber stopten met zoenen en keken haar aan. Andere paartjes hielden op met dansen en keken nieuwsgierig naar de boze Lisa.

'Wat doe je nou?' siste Amber.

Lisa voelde dat iedereen naar haar keek. 'Eh... sorry, maar...' Ze keek naar Dennis. 'Je hoefde alleen maar met haar te dansen, hoor! Het is een beetje lullig als je haar valse hoop geeft. Kap ermee! Amber is mijn beste vriendin!'

Op dat moment voelde Lisa een stekende pijn op haar wang. Ze zag nog net de hand van Amber voorbijscheren. De klap kwam hard aan.

'Au!' Lisa greep naar haar gezicht.

140

'Ben jij helemaal!' schreeuwde Amber. 'Wat denk je wel? Dat ik dom ben of zo? Ik bepaal zelf wel met wie ik zoen en hoe lang. Dat doe jij al jaren! En trouwens... Dennis heeft mij net verkering gevraagd, dus ik begrijp niet waar je je mee bemoeit.'

Lisa begreep er niets van. Verbaasd keek ze naar Dennis. 'Is dat waar?' fluisterde ze.

Dennis knikte. 'Ik vond Amber altijd al leuk. Maar ze was zo verlegen en ik dacht dat ze mij niet leuk vond. Jij gaf me net dat duwtje in de rug toen je zei dat ze met me wilde dansen. Ik...'

Lisa draaide zich om. 'Ja, ja, het is al goed. Ga maar lekker verder waar je gebleven was. Sorry voor de onderbreking.' Ze liep de dansvloer af in de richting van de garderobe.

Wat een afgang. Achter zich hoorde ze voetstappen. 'Liesje, wacht!'

Lisa stond stil en zuchtte. Ze herkende de stem uit duizenden. Wat wilde Jelle nu weer? Ze draaide zich om. 'Wat is er, Jelle? Kom je mij nog even inwrijven hoe stom ik ben geweest?'

Ze voelde haar ogen prikken.

Jelle schudde zijn hoofd. 'Nee, dat was ik niet van plan, maar nu je het zegt...' Hij keek beledigd. 'Iemand moet jou eens even goed de waarheid vertellen! En omdat niemand anders het durft hier op school, wil ik dat wel doen, hoor! Je bent een verwend en arrogant nest. Je gebruikt jongens alsof het... alsof het... papieren zakdoeken zijn! Je verleidt ze, zoent ze en hup... je dumpt ze weer.'

Lisa trilde van woede. 'Waar bemoei jij je mee?' schreeuwde ze. 'Dat maak ik zelf wel uit.'

Jelle kalmeerde iets. 'Luister,' zei hij op een rustiger toon. 'Ik snap dat je je nu knap lullig voelt, maar...'

Lisa viel hem in de rede. 'Jij begrijpt er helemaal niets van! Hoe kun je ook? Je hebt zelf nog nooit verkering gehad. Je weet niet eens wat zoenen is! Loser!'

Jelle boog zijn hoofd. 'Dat is gemeen, Lisa!'

Lisa had direct spijt van haar woorden. Jelle had haar dat in vertrouwen verteld. Ze had beloofd het aan niemand te vertellen. 'Sorry,' stamelde ze. 'Zo bedoelde ik het niet.'

Ze pakte zijn arm vast. 'Het spijt me. Oké? Ik ben een kreng en ik doe alles altijd verkeerd. Jij bent mijn allerleukste buurjongen, mijn vriend...' Ze knipperde overdreven met haar ogen en hield haar hoofd iets schuin. Ze zag een glimlach op Jelles gezicht. Het werkte. 'Toe,' fluisterde ze. 'Niet meer boos zijn!'

Jelle zuchtte. 'Ik ben niet boos. Ach, laat maar. Je zult het nooit begrijpen.'

'Wat niet?'

'Het verschil.'

'Welk verschil?' Lisa werd nieuwsgierig. Wat bedoelde Jelle? Ongeduldig schudde ze zijn arm heen en weer. 'Nou, zeg op! Welk verschil?'

Jelle keek haar met zijn blauwe ogen strak aan. Lisa voelde haar buik kriebelen. Een vreemd, onbekend gevoel kroop door haar lichaam. Wat gebeurde er met haar? Ze wilde haar hoofd afwenden, maar haar ogen bleven Jelle aanstaren.

'Het verschil tussen zoenen en verliefd zijn.'

Lisa trok haar wenkbrauwen op. 'Hoezo?'

Jelle legde zijn handen op haar schouders en trok haar naar zich toe. 'Voor mij is er geen verschil tussen zoenen en verliefd zijn. Ik zoen pas als ik verliefd ben. Maar jij...'

Zijn gezicht kwam nog dichterbij. Lisa voelde zijn adem langs haar gezicht strijken. Haar benen trilden. In haar buik woedde een vreselijke storm en het voelde alsof de inhoud van haar hoofd in een draaimolen zat.

Jelle drukte zijn lippen heel even op haar mond en liet haar toen los. 'Nu weet je hoe ik erover denk. Het zal nooit wat worden tussen ons. Ik zoen omdat ik verliefd ben, jij zoent omdat je het een spel vindt. Ik heb nog nooit gezoend, maar ik

142

weet wel wat verliefd zijn is. Jij zoent al jaren, maar volgens mij weet je niet wat verliefd zijn is. Dat is het verschil tussen ons!'

Hij draaide zich om en wilde weglopen. Lisa greep opnieuw zijn arm. 'Wacht! Dat… dat is niet w…' Verder kwam ze niet. Ze zuchtte. 'Oké, je hebt gelijk,' fluisterde ze. 'Ik ben nog nooit verliefd geweest. Ik weet niet eens wat dat is.' Ze keek hem aan. 'Hoe weet je of je verliefd bent? Wat voel je dan? Leg het me dan uit!'

'Dat weet je gewoon,' antwoordde Jelle. 'Je buik gaat raar doen, je hoofd draait, je voelt je slap worden als die persoon in de buurt is… ach, van dat soort dingen. Ik hoop voor je dat je het ooit nog eens zult voelen, want het is heerlijk!'

Lisa knikte. 'Oké, ik beloof hierbij plechtig dat ik niet meer zal zoenen als ik niet verliefd ben.' Ze ging op haar tenen staan en zoende Jelle zacht op zijn mond. Ze voelde haar hoofd draaien, haar buik kriebelen en haar benen slap worden. Jelle pakte haar vast en keek haar aan. 'Weet je het zeker?' Lisa knikte. 'Ik geloof dat ik verliefd ben,' fluisterde ze. Zacht zoende Jelle haar terug.